dtv

Reihe Hanser

Cecilie ist sehr krank. Statt mit ihrer Familie Weihnachten im Wohnzimmer zu feiern, muss sie das Bett hüten. Zwar hatte der Vater sie zur Bescherung kurz heruntergetragen, doch danach war sie gleich wieder in ihr Bett zurückgesunken. Plötzlich hört sie eine Stimme: Ariel behauptet ein Engel zu sein und gemeinsam mit ihm beginnt Cecilie über neue Dinge nachzudenken. Zum ersten Mal sieht sich Cecilie in ihrem Leben herausgefordert, ihre Existenz in der Welt neu zu betrachten.

Jostein Gaarder, 1952 geboren, unterrichtete als Lehrer Philosophie. Nach seinem Welterfolg mit ›Sofies Welt‹ konnte er seinen alten Beruf aufgeben und sich ganz auf das Schreiben konzentrieren. Heute lebt er mit seiner Frau und seinen zwei Söhnen in Oslo.

Jostein Gaarder

Durch einen Spiegel, in einem dunklen Wort

Aus dem Norwegischen von
Gabriele Haefs

Deutscher Taschenbuch Verlag

Von Jostein Gaarder sind im
Deutschen Taschenbuch Verlag erschienen:
Das Kartengeheimnis (12500)
Das Leben ist kurz (12711)
Sofies Welt (62000)

Ungekürzte Ausgabe
In neuer Rechtschreibung
Oktober 2000
Deutscher Taschenbuch Verlag GmbH & Co. KG,
München
www.dtv.de

Titel der Originalausgabe: ›I et speil, i en gåte‹

Satz: Fotosatz Reinhard Amann, Aichstetten
Gesetzt aus der Sabon 11/13· (QuarkXPress)
Druck und Bindung: C. H. Beck'sche Buchdruckerei,
Nördlingen
Gedruckt auf säurefreiem, chlorfrei gebleichtem Papier
Printed in Germany · ISBN 3-423-62033-1

Die Freude ist ein Schmetterling,
der dicht über den Boden flattert,
der Kummer dagegen ist ein Vogel
mit großen, starken, schwarzen Schwingen,
die tragen uns hoch über das Leben,
das unten im Sonnenlicht im Grünen liegt.
Der Vogel des Kummers fliegt hoch oben,
dort, wo die Engel des Schmerzes Wache halten
über die Lager des Todes.

Edith Södergran, 16 Jahre

Sie hatten die Flurtür offen stehen lassen. Die Weihnachtsdüfte schwebten aus dem Erdgeschoss zu Cecilie hinauf. Sie versuchte die einzelnen Gerüche zu unterscheiden.

Kümmelkohl war auf jeden Fall dabei. Und ganz sicher Weihrauchkörner, die Papa auf den Kamin gestellt hatte, ehe sie in die Kirche gegangen waren. Und erhaschte sie jetzt nicht auch den frischen Duft des Weihnachtsbaums?

Cecilie atmete wieder tief ein. Sie glaubte den Geruch der Geschenke unter dem Weihnachtsbaum wahrzunehmen, des roten Weihnachtspapiers und des goldenen Glanzpapiers mit Geschenkaufklebern und Seidenband. Aber es gab noch einen andern Geruch – unbestimmbar, zauberhaft, magisch: den Duft der Weihnachtsstimmung.

Sie schnupperte und machte sich an den Türchen des Adventskalenders über ihrem Bett zu schaffen. Alle vierundzwanzig standen offen. Das größte hatte sie heute aufgeklappt. Sie sah sich noch einmal den Engel an, der sich über die Krippe mit dem Jesuskind beugte.

Im Hintergrund standen Maria und Josef, aber sie schienen überhaupt nicht auf den Engel zu achten.

Ob der Engel wirklich im Stall war, ohne dass Maria und Josef ihn sehen konnten?

Cecilie blickte sich im Zimmer um. Sie hatte die rote Lampe an der Decke, die weißen Vorhänge mit dem blauen Vergissmeinnicht-Muster und das Bücherregal mit den Büchern und Puppen, Kristallen und Schmucksteinen so oft angesehen, dass alles zu einem Teil ihrer selbst geworden war. Auf dem Schreibtisch vor dem Fenster lag neben der alten Kinderbibel und Snorres Götterlehre der Reiseführer über Kreta. An der Wand zum Schlafzimmer ihrer Eltern hing der griechische Kalender mit den niedlichen Katzen. Und am selben Nagel hing auch die alte Perlenkette, die Großmutter ihr geschenkt hatte.

Wie oft sie die siebenundzwanzig Gardinenringe an der Stange wohl schon gezählt hatte? Und warum saßen an der einen Stange dreizehn und an der anderen vierzehn Ringe? Wie oft hatte sie schon die Hefte der »Illustrierten Wissenschaft« auf dem dicken Stapel unter dem Schreibtisch zu zählen versucht? Jedes Mal musste sie irgendwann aufgeben. Sie hatte es auch aufgegeben, die Blumen im Vorhangstoff zu zählen. Immer versteckten sich noch ein paar Vergissmeinnicht in den Falten.

Unter dem Bett lag das chinesische Tagebuch. Cecilie tastete nach ihm ... da, und daneben lag auch der Filzstift.

Das chinesische Tagebuch, ein mit Stoff bezogenes kleines Notizbuch, hatte ihr ein Arzt im Krankenhaus geschenkt. Wenn sie es ins Licht hielt, glitzerten die schwarzen, grünen und roten Seidenfäden.

Sie hatte nicht die Kraft gehabt, ausführlich Tagebuch zu schreiben, und besonders viel hätte sie auch nicht zu erzählen gehabt, aber sie hatte beschlossen alle Gedanken zu notieren, die ihr so kamen, während sie hier im Bett lag. Sie hatte sich geschworen nichts auszulöschen, jedes einzelne Wort sollte bis zum Jüngsten Tag stehen bleiben. Es würde später, wenn sie erwachsen war, sicher komisch sein, in dem Tagebuch zu lesen. Auf die erste Seite hatte sie ganz groß geschrieben: CECILIE SKOTBUS PERSÖNLICHE NOTIZEN.

Jetzt ließ sie sich wieder auf ihr Kissen sinken und lauschte nach unten. Ab und zu klapperte Mama in der Küche mit Besteck, ansonsten war das Haus ganz still ...

Die anderen konnten jeden Moment aus der Kirche zurückkommen. Kurz davor – oder kurz danach – würde Weihnachten eingeläutet werden. Sie konnten die Kirchenglocken von Skotbu aus nur mit Mühe hören. Deshalb stellten sie sich jedes Jahr draußen auf die Treppe.

Aber an diesem Heiligen Abend konnte Cecilie nicht draußen auf der Treppe zuhören, wie Weihnachten eingeläutet wurde. Sie war krank, und zwar nicht nur ein bisschen – ein bisschen krank war sie im Oktober und im November gewesen. Im Moment war Cecilie so krank, dass Weihnachten ihr wie eine Hand voll Sand vorkam, die ihr durch die Finger rieselte, während sie schlief oder nur halb wach war. Aber immerhin musste sie nicht ins Krankenhaus. Dort war schon Anfang Dezember die Weihnachtsdekoration angebracht worden.

Gut, dass sie nicht zum ersten Mal ein Weihnachtsfest erlebte. Cecilie hatte das Gefühl, dass sich alles auf der Welt verändert hatte, nur Weihnachten in Skotbu nicht. Für einige Tage machten die Menschen genau dasselbe wie jedes Jahr ohne nachzudenken, warum. »Weil es Tradition ist«, sagten sie. Und das reichte als Grund.

In den letzten Tagen hatte sie versucht alles mitzubekommen, was im Erdgeschoss passierte. Kleine Klangblasen, die aus der Tiefe zu ihr aufgestiegen waren, hatten ihr verraten, dass gebacken oder die Weihnachtsdekoration angebracht wurde. Ein paar Mal hatte Cecilie sich vorgestellt, das Erdgeschoss wäre die Erde und sie selbst befände sich im Himmel.

Gestern Abend hatten sie den Weihnachtsbaum hereingebracht, Papa hatte ihn geschmückt, als Lasse schon im Bett lag. Cecilie hatte ihn noch nicht gesehen. Sie hatte den Weihnachtsbaum noch nicht gesehen!

Gut, dass sie einen redseligen kleinen Bruder hatte. Lasse kommentierte alles, was die anderen nur sahen oder dachten. Deshalb hatte er auch über sämtliche Weihnachtsvorbereitungen und die ganze Dekoration losgeplappert. Er war Cecilies heimlicher Reporter aus der Unterwelt gewesen.

Auf ihrem Nachttisch stand eine Glocke. Sie klingelte damit, wenn sie aufs Klo musste oder irgendwas brauchte. In der Regel war dann Lasse als Erster bei ihr. Manchmal hatte Cecilie geklingelt, weil sie ihn bitten wollte, vom Backen und Schmücken zu erzählen.

Papa hatte versprochen Cecilie zur Bescherung ins Wohnzimmer hinunterzutragen. Sie wünschte sich neue Skier. Die alten waren ihr viel zu kurz. Mama hatte gemeint, sie sollten vielleicht besser warten, bis sie wieder gesund sei, doch da hatte Cecilie protestiert. Sie wollte zu Weihnachten Skier, und basta!

»Aber vielleicht kannst du in diesem Winter gar nicht mehr Ski laufen, Cecilie!«

Cecilie hatte eine Blumenvase auf den Boden gepfeffert.

»Ohne Skier noch viel weniger!«

Mama hatte Kehrblech und Handfeger geholt ohne eine Miene zu verziehen. Das war fast das Schlimmste gewesen. Als sie Blumen und Scherben zusammenfegte, hatte sie gesagt:

»Ich dachte, du hättest lieber ein schönes Geschenk, das du auch im Bett brauchen kannst.«

Cecilie hatte einen Druck hinter der Schläfe gespürt. »Auch im Bett brauchen kannst!« Sie hatte noch eine Untertasse und ein Glas voll Saft zu Boden gehen lassen. Mama war selbst da nicht böse geworden. Sie hatte nur gefegt und gekehrt, gefegt und gekehrt.

Sicherheitshalber hatte Cecilie hinzugefügt, dass sie sich auch noch Schlittschuhe und einen Schlitten wünschte ...

Draußen herrschte seit Anfang Dezember kaltes Winterwetter. Manchmal hatte Cecilie es geschafft, ganz allein aufzustehen und sich zum Fenster zu schleppen. Der Schnee lag wie eine weiche Decke über der gefrorenen Landschaft. Im Garten hatte Papa in der großen Kiefer Weihnachtslichter angebracht. Cecilie zu Ehren. Sonst hatten die Lichter immer in der kleinen Tanne vor dem Eingang gebrannt. Durch die Zweige der Kiefer konnte sie in der Ferne den Berg Ravnekollen erkennen.

Nie hatte die Natur draußen so scharfe Umrisse gezeigt wie jetzt, an diesen letzten Tagen vor Weihnachten. Einmal hatte Cecilie gesehen, wie der Postbote trotz knapp zehn Grad unter null und obwohl der Weg tief verschneit war, auf dem Fahrrad gekommen war. Zuerst hatte sie gelächelt. Sie hatte an die Fensterscheibe geklopft und ihm zugewinkt. Er hatte aufgeblickt und mit beiden Armen zurückgewinkt. Prompt war sein Rad in dem lockeren Schnee umgekippt. Als er hinter der Scheune verschwand, war sie ins Bett zurückgekrochen und hatte geweint. Ein Rad fahrender Postbote mitten im Schnee kam ihr vor wie der eigentliche Sinn des Lebens.

Noch ein weiteres Mal waren ihr am Fenster Tränen in die Augen getreten. Sie wäre so gern hinaus in das Wintermärchen gesprungen. Vor der Scheunentür waren zwei Dompfaffen in einem ausgeklügelten Spiel hin und her getrippelt. Cecilie hatte lachen müssen. Sie wäre so gern selbst ein Dompfaff gewesen. Und dann waren ihre Augenwinkel feucht geworden. Am Ende hatte sie eine Träne auf die Fingerspitze genommen und einen Engel an die Fensterscheibe gemalt. Als ihr aufging, dass sie den Engel mit ihren Tränen gezeichnet hatte, musste sie wieder lachen. Was war denn eigentlich der Unterschied zwischen Engelstränen und Tränenengeln?

Sie war offenbar eingenickt, denn sie fuhr aus dem Schlaf, als sie unten die Haustür hörte.

Sie waren aus der Kirche zurück! Cecilie hörte, wie sie sich den Schnee von den Stiefeln trampelten. Und hörte sie jetzt nicht auch die Glocken?

»Gesegnete Weihnachten, Mama!«

»Gesegnete Weihnachten, mein Junge.«

»Auch dir gesegnete Weihnachten, Tone.«

Großvater räusperte sich:

»Ja, hier riecht es nach Weihnachtsfest.«

»Nimm mal Opa den Mantel ab, Lasse.«

Cecilie sah sie vor sich: Großmutter lächelte und nahm alle in den Arm, Mama band sich die rote Schürze ab, während sie Großvater umarmte, Papa fuhr Lasse über die Haare, Großvater steckte sich eine Zigarre an ...

Wenn Cecilie in der letzten Zeit etwas gelernt hatte, dann mit den Ohren zu sehen. Die fröhlichen Geräusche aus dem Erdgeschoss wichen jetzt leisem Getuschel. Im nächsten Moment kam Papa die Treppe hoch. Er erledigte das mit vier oder fünf Schritten.

»Gesegnete Weihnachten, Cecilie!«

Er legte die Arme um ihre Schultern und zog sie vorsichtig an sich. Dann ließ er sie wieder los und riss das Fenster auf.

»Hörst du?«

Sie hob den Kopf vom Kissen und nickte.

»Also ist es jetzt fünf.«

Er schloss das Fenster wieder und setzte sich auf die Bettkante.

»Krieg ich denn nun neue Skier?«

Eigentlich stellte sie die Frage, weil sie hoffte, er werde Nein sagen. Dann könnte sie nämlich wieder einen Wutanfall kriegen, und das war immerhin besser als traurig zu sein.

Papa hielt einen Finger an seine Lippen.

»Keine Sonderbehandlung, Cecilie! Warte ab!«

»Na gut.«

»Bist du sicher, dass du nicht auf dem Sofa liegen willst, während wir essen?«

Sie schüttelte den Kopf. Darüber hatten sie in den letzten Tagen so oft gesprochen. Sie wollte bei der Bescherung ausgeruht sein. Und sie konnte das Weihnachtsessen ja doch nicht vertragen. Davon würde ihr nur schlecht werden.

»Aber alle Türen müssen offen stehen!«

»Natürlich!«

»Und ihr müsst laut reden … und am Tisch einen Höllenlärm machen.«

»Na klar!«

»Und wenn ihr das Weihnachtsevangelium vorgelesen habt, kommt Oma zu mir und liest es mir noch einmal vor.«

»Wie abgemacht.«

Sie ließ sich auf ihr großes Kissen zurücksinken.

»Gibst du mir den Walkman?«

Er ging zum Bücherregal und reichte ihr Walkman und Kassette.

»Den Rest schaff ich allein.«

Papa küsste sie auf die Stirn.

»Am liebsten würde ich ja jetzt bei dir sitzen«, flüsterte er. »Aber wir müssen auch an die andern denken, weißt du. Ich sitze dann lieber die restlichen Feiertage bei dir.«

»Ich hab doch gesagt, ihr sollt ganz normal Weihnachten feiern.«

»Ganz normal, ja.«

Er schlich aus dem Zimmer.

Cecilie schob die Weihnachtskassette von Sissel Kyrkjebø in den Walkman. Bald hatten ihre Ohren die wunderschöne Weihnachtsstimmung aus der Kassette aufgesaugt. Sie nahm die Kopfhörer ab und – doch, ja, sie saßen schon am Tisch.

Mama las das Weihnachtsevangelium vor. Danach sangen sie: »Es ist ein Ros' entsprungen«.

Dann kam Großmutter die Treppe herauf. Cecilie hatte das alles genauso geplant.

»Hier bin ich, Cecilie!«

»Pst! Lies einfach nur vor . . .«

Großmutter setzte sich auf einen Stuhl, der vor dem Bett stand, und fing an:

»Es begab sich aber zu der Zeit, dass ein Gebot von dem Kaiser Augustus ausging, dass alle Welt geschätzt würde . . .«

Als sie von der Bibel aufblickte, hatte Cecilie Tränen in den Augen.

»Weinst du?«

Sie nickte.

»Aber das ist doch gar nicht traurig.«

Wieder nickte Cecilie.

»Und das habt zum Zeichen: Ihr werdet finden das Kind in Windeln gewickelt und in einer Krippe liegen. – Du meinst, es ist so *schön*?«

Cecilie nickte zum dritten Mal.

»Wir weinen, wenn etwas traurig ist«, sagte Großmutter nach einer Weile. »Aber wir vergießen auch gern eine Träne, wenn etwas schön ist.«

»Aber wir lachen nicht, wenn etwas hässlich ist?«

Großmutter überlegte.

»Wir lachen über Clowns, weil sie komisch sind. Manchmal lachen wir sicher auch, weil sie hässlich sind ... schau her!«

Sie verzog ihr Gesicht zu einer scheußlichen Grimasse. Cecilie prustete los.

Großmutter sagte:

»Vielleicht werden wir traurig, wenn wir etwas Schönes sehen, weil wir wissen, dass es nicht immer da sein wird. Und wir lachen über etwas Hässliches, weil wir wissen, dass es sich bloß aufspielt.«

Cecilie starrte zu ihr hoch. Großmutter war der klügste Mensch auf der Welt.

»Jetzt musst du nach unten zu den anderen Clowns«, sagte sie.

Großmutter rückte Cecilies Kissen zurecht und streichelte ihre Wange.

»Ich freue mich auf nachher, wenn du auch kommst. Erstmal wird ja nur gegessen ...«

Als Großmutter die Treppe hinunterging, tastete Cecilie nach dem Stift und dem chinesischen Notizbuch. Als Erstes hatte sie hineingeschrieben:

Ich stehe nicht mehr an einem unbekannten Strand in der Ägäis. Aber die Wellen schlagen noch immer an den Strand und die Steine rollen hin und her und tauschen bis in alle Ewigkeit die Plätze ...

Sie las, was sie bisher geschrieben hatte. Dann fügte sie hinzu:

Wir weinen, wenn etwas traurig ist. Und wir vergießen auch gern über etwas Schönes eine Träne. Wenn etwas witzig oder hässlich ist, lachen wir. Vielleicht werden wir traurig, wenn etwas schön ist, weil wir wissen, dass es nicht von Dauer ist. Und wir lachen über etwas Hässliches, weil wir wissen, dass es sich nur aufspielt.

Clowns sind witzig, weil sie so schrecklich hässlich sind. Wenn sie vor dem Schminkspiegel ihre Clownsmasken ablegen, werden sie sehr schön. Deshalb sind Clowns so traurig und unglücklich, wenn sie in ihre Zirkuswagen gehen und die Tür hinter sich ins Schloss knallen.

Sie war wieder eingenickt und wurde erst wach, als Papa sie holen kam.

»Bescherung!«, verkündete er.

Er schob seine Arme unter Cecilie und hob sie mit ihrer roten Decke zusammen hoch. Das Kissen ließ er liegen, ihre blonden Haare fielen herab, als er Cecilie anhob. Die Haare waren inzwischen wieder ziemlich lang.

Unten an der Treppe standen Lasse und Großvater.

»Du siehst aus wie ein Engel«, erklärte Großvater. »Die Decke ist wie eine rosige Wolke.«

»Wie ein aus allen Wolken gefallener Engel!«, rief Lasse.

Auf halber Treppe wandte Cecilie den Kopf und erwiderte ihren Blick.

»Was für ein Unsinn!«, protestierte sie. »Engel sitzen fest auf den Wolken. Die fallen nicht runter!«

Großvater schmunzelte, er blies als Antwort eine dicke Rauchwolke ins Zimmer.

Papa legte Cecilie auf das rote Sofa. Sie hatten es mit vielen Kissen erhöht, damit sie den Weihnachtsbaum sehen konnte. Sie blickte auf.

»Das ist aber nicht der Stern vom letzten Jahr!«

Mama kam herbeigestürzt – es schien ihr Leid zu tun, dass nicht alles war wie im letzten Jahr.

»Nein, weißt du, den konnten wir nicht mehr finden. Deshalb hat Papa einen neuen gekauft ...«

»Komisch ...«

Cecilie blickte sich im Zimmer um, die anderen sahen es genau. Sie beobachteten Cecilie und folgten zugleich ihrem Blick.

Keine Ecke war dunkel. Cecilie zählte siebenundzwanzig Kerzen – genauso viele Kerzen wie Ringe an der Gardinenstange. Das war wirklich ein lustiger Zufall!

Die vielen Geschenke lagen unter dem Baum. Der einzige Unterschied zum letzten Jahr war, dass Großvater nicht mehr den Weihnachtsmann spielen sollte. Auch das hatte Cecilie so beschlossen.

»Ich glaube, den Weihnachtsmann-Quatsch will ich nicht mehr.«

Der Tisch war mit Tellern und Tassen, Kuchenschüsseln und selbst gemachten bunten Marzipanfiguren gedeckt.

»Möchtest du etwas?«

»Ein bisschen Zitronenlimonade vielleicht. Und ein Stück Schichtkuchen ohne Kirsche.«

Alle standen um sie herum. Lasse hielt sich im Hintergrund. Er schien es ein bisschen unheimlich zu finden, dass Cecilie zur Bescherung heruntergekommen war. Aber alles war sehr feierlich.

»Gesegnete Weihnachten, Lasse.«

»Gesegnete Weihnachten.«

»Und jetzt zu den Geschenken«, sagte Großvater. »Dieses feierliche Amt ist mir übertragen worden.«

Sie setzten sich um den Baum und Großvater las die Geschenkaufkleber vor. Cecilie überlegte, dass keines der Pakete Skier oder einen Schlitten enthalten konnte, aber sie wollte erst mal noch nicht sauer werden. Schließlich gab es im Haus viele Stellen, wo noch Geschenke versteckt sein konnten. Das hatte sie schon öfter erfahren.

»Für Cecilie von Marianne.«

Marianne war ihre beste Freundin. Sie wohnte auf dem anderen Flussufer, ging aber in Cecilies Klasse.

Es war ein winzig kleines Päckchen. Konnte da vielleicht ein Schmuckstein drin sein? Ein neuer Halbedelstein für ihre Sammlung?

Sie riss das Papier ab und öffnete eine gelbe Schachtel. Auf einem Wattebausch lag ein roter Schmetterling, eine Brosche ... Cecilie nahm ihn heraus. Als sie ihn berührte, änderte er seine Farbe, wechselte von Rot zu Grün. Dann wurde er blau, danach violett.

»Ein magischer Schmetterling ...«

»... der seine Farbe wechselt, wenn sich die Temperatur verändert«, nickte Papa.

Alle wollten den Schmetterling anfassen. Wenn sie ihn gegen die Handfläche pressten, wurde er grün oder blau. Nur in Cecilies Hand wurde er violett.

»Ein Fieberschmetterling«, sagte Lasse. Aber alle taten so, als hätten sie ihn nicht gehört.

Das nächste Paket war für ihn. Er bekam Jetskier, kurze breite Skier zum Herumjuxen. Von Tante Ingrid und Onkel Einar.

»Mir wären ja richtige lieber«, sagte Cecilie. »Aber wenn du sie gut findest.«

Jetzt ging es Schlag auf Schlag. Unter dem Weihnachtsbaum lagen immer weniger Pakete, dafür füllten sich Stühle und Tische mit Gegenständen. Papa sammelte das Geschenkpapier ein und stopfte es in einen schwarzen Plastiksack.

Dann verließ Großvater das Zimmer. Die Erwachsenen tranken Kaffee, Lasse Limonade. Cecilie bekam ihre Medizin.

Als Großvater zurückkam, trug er einen langen, schweren Gegenstand, der in blaues Weihnachtspapier mit goldenen Sternen gewickelt war.

Cecilie zog sich an der Sofalehne hoch.

»Skier!«

»Für die Skidisa. Von Oma und Opa«, las Großvater vor.

»Skidisa?«

»Die Skigöttin«, erklärte Großmutter. »Das bist du, weißt du.«

Cecilie riss das Papier ab. Die Skier waren so rot, wie das Papier blau gewesen war.

»Toll! Ich wollte, ich könnte sie gleich ausprobieren!«

»Ja, lass uns hoffen, dass du bald wieder auf den Beinen bist.«

Cecilie behielt die Skier bei sich auf dem Sofa, solange die restlichen Pakete verteilt wurden. Auch das letzte war so groß, dass es von draußen geholt werden musste, und es war ebenfalls für Cecilie bestimmt. Sie konnte den Inhalt sofort erraten.

»Ein Schlitten! Ihr spinnt doch …«

Mama beugte sich über sie und kniff sie in die Wange.

»Meinst du vielleicht, wir hätten es gewagt, dir mit einem anderen Geschenk zu kommen?«

Cecilie zuckte mit den Schultern.

»Immerhin habt ihr gewagt mir keine Schlittschuhe zu schenken.«

»Ja, darauf haben wir es ankommen lassen.«

Jetzt stand der ausgedehnte Kaffeeklatsch auf dem Programm. Cecilie freute sich über den Anblick von Plätzchen, Marzipan, selbst gemachten Süßigkeiten und Nüssen. So musste es sein. So war Weihnachten. Sie selbst aß nur ein Stück Kuchen. Danach bat sie um eine Scheibe Toast mit Honig.

Großvater erzählte von Weihnachten in alten Zeiten. Seit über sechzig Jahren feierte er nun schon in diesem Zimmer das Fest. Einmal war auch er krank gewesen.

Als sie um den Weihnachtsbaum tanzen wollten, fielen Cecilie bereits die Augen zu. Sie wollte in ihr Zimmer getragen werden.

Lasse und Mama rannten hin und her, um die Geschenke nach oben zu schaffen. Cecilie wollte alle bei sich haben. Am Ende trug Papa sie nach oben, nachdem jeder dem andern noch einmal gesegnete Weihnachten gewünscht hatte.

Cecilie schlief ein, während Weihnachtslieder und die Geräusche der Schritte um den Weihnachtsbaum nach oben schwebten. Großmutter spielte dazu Klavier.

Sie fuhr aus dem Schlaf. Es musste schon spät sein, denn im ganzen Haus war es still. Cecilie öffnete die Augen und knipste die Lampe über dem Bett an.

Sie hörte eine Stimme, die fragte:

»Hast du gut geschlafen?«

Wer war das? Auf dem Stuhl vor dem Bett saß niemand. Und auf dem Boden stand auch niemand.

»Hast du gut geschlafen?«, fragte die Stimme noch einmal.

Cecilie setzte sich auf und blickte sich um. Dann fuhr sie zusammen: Auf der Fensterbank saß eine Gestalt. Es gab dort nur Platz für ein kleines Kind, aber Lasse war es nicht. Wer dann?

»Fürchte dich nicht«, sagte die fremde Gestalt mit heller, klarer Stimme.

Sie oder er trug einen weiten Kittel und hatte nackte Füße. Cecilie konnte wegen des scharfen Gegenlichts von der Weihnachtsbeleuchtung draußen im Baum nur mit Mühe ein Gesicht erkennen.

Sie rieb sich die Augen, aber danach saß die weiß gekleidete Gestalt immer noch da.

War das ein Mädchen oder ein Junge? Cecilie war sich nicht sicher, denn die Gestalt hatte kein einziges Haar auf dem Kopf. Sie beschloss, dass es ein Junge sei, aber sie hätte genauso gut das Gegenteil beschließen können.

»Kannst du mir nicht verraten, ob du gut geschlafen hast?«, fragte die geheimnisvolle Gestalt noch einmal.

»Doch ... schon ... aber wer bist du?«

»Ariel.«

Cecilie musste sich noch einmal die Augen reiben.

»Ariel?«

»Ja, das bin ich, Cecilie.«

Sie schüttelte den Kopf.

»Ich weiß trotzdem nicht, wer du bist.«

»Aber wir wissen fast alles über euch. Das ist genau wie bei einem Spiegel.«

»Wie bei einem Spiegel?«

Er beugte sich vor und es schien, als ob er jeden Moment von der Fensterbank auf den Schreibtisch purzeln würde.

»Ihr seht nur euch selbst. Ihr könnt nicht sehen, was sich auf der anderen Seite befindet.«

Cecilie fuhr zusammen. Als sie noch kleiner gewesen war, hatte sie oft im Badezimmer vor dem Spiegel gestanden und sich vorgestellt, dass dahinter eine andere Welt läge. Manchmal hatte sie sich sogar vor den Bewohnern jener Welt gefürchtet, die vielleicht durch das Glas schauen und sie beim Waschen beobachten konnten. Oder noch schlimmer: Sie hatte sich gefragt, ob sie etwa durch den Spiegel springen und plötzlich neben ihr im Badezimmer stehen könnten.

»Warst du schon mal hier?«, fragte sie.
Er nickte feierlich.
»Und wie bist du reingekommen?«
»Wir finden überall Einlass, Cecilie.«
»Papa schließt die Tür immer ab. Und im Winter machen wir auch alle Fenster zu ...«
Er winkte nur einfach ab.
»So was spielt für uns keine Rolle.«
»So was?«
»Verschlossene Türen und so.«
Cecilie dachte nach. Sie hatte das Gefühl, so etwas wie einen Filmtrick gesehen zu haben. Sie ließ den Film zurücklaufen und ging alles noch einmal durch.
»Du sagst ›wir‹ und ›uns‹«, fasste sie zusammen. »Seid ihr so viele?«
Er nickte.
»Sehr viele, ja. Jetzt fängst du an Lunte zu riechen.«
Aber Cecilie hatte das Rätselraten satt.
»Es gibt fünf Milliarden Menschen auf der Welt. Und ich habe gelesen, dass die Welt fünf Milliarden Jahre alt ist. Hast du dir das schon mal überlegt?«, fragte sie.
»Natürlich. Ihr kommt und geht.«
»Was sagst du da?«
»In jeder Sekunde schüttelt Gott einige nagelneue Kinder aus seinem Ärmel. Hokuspokus! In jeder Sekunde verschwinden auch einige Menschen. Er schickt dann seine Menschen aus, er schickt Cecilie zum Tor hinaus ...«
Sie spürte, wie ihre Wangen heiß wurden.
»Du kommst und gehst doch auch selbst«, sagte sie.

Er schüttelte energisch sein haarloses Köpfchen.

»Hast du gewusst, dass dieses Zimmer früher das Zimmer deines Großvaters war?«

»Natürlich. Aber woher weißt du das?«

Er baumelte jetzt mit den Beinen. Cecilie fand, er sah aus wie eine Puppe.

»Jetzt kommen wir langsam in Gang«, verkündete er.

»Wieso?«

»Du hast mir zwar immer noch nicht verraten, ob du gut geschlafen hast. Aber wir kommen trotzdem in Gang. Es dauert jedes Mal eine Weile, bis man in Gang kommt.«

Cecilie schnappte nach Luft – und stieß sie energisch wieder aus.

»Du hast mir auch nicht verraten, woher du weißt, dass das mal Opas Schlafzimmer war.«

»›Woher du weißt, dass das mal Opas Schlafzimmer war‹«, wiederholte Ariel.

»Genau!«

Er strampelte mit den Beinen.

»Wir sind seit dem Anfang aller Zeiten hier, Cecilie. Als dein Großvater klein war, musste er einmal zu Weihnachten mit einer scheußlichen Lungenentzündung im Bett liegen, lange bevor es gute Medizin dagegen gab.«

»Bist du damals auch hier gewesen?«

Er nickte.

»Seine traurigen Augen werde ich nie vergessen. Sie sahen aus wie zwei verlassene Vogeljunge.«

»›Wie zwei verlassene Vogeljunge‹«, seufzte Cecilie.

Sie blickte zu Ariel hoch und fügte schnell hinzu:

»Aber es ist vorbeigegangen. Er ist wieder völlig gesund geworden.«

»Völlig gesund, ja.«

Er machte eine jähe Bewegung. Im Bruchteil einer Sekunde war er auf die Fensterbank gesprungen und verdeckte fast das ganze Fenster. Cecilie konnte in dem starken Gegenlicht sein Gesicht immer noch nicht deutlich sehen.

Wie hatte er es geschafft aufzuspringen, ohne auf den Schreibtisch zu fallen? Es schien, als ob er gar nicht fallen könnte.

»Ich kann mich auch an alle Hirten auf dem Felde erinnern«, sagte er.

Cecilie dachte daran, was Großmutter aus der Bibel vorgelesen hatte.

»Ehre sei Gott in der Höhe und Friede auf Erden und den Menschen ein Wohlgefallen«, zitierte sie. »Meinst du das?«

»Die himmlischen Heerscharen, ja. Wir waren als Schlachtenbummler dabei.«

»Das glaube ich einfach nicht.«

Ariel legte den Kopf schräg; jetzt konnte Cecilie sein Gesicht etwas besser erkennen. Es erinnerte sie an eine von Mariannes Puppen.

»Du Arme«, sagte er.

»Weil ich krank bin?«

Er schüttelte den Kopf.

»Ich meine, es muss doch scheußlich sein, nicht an den zu glauben, mit dem man redet.«

»Pa!«

»Stimmt es, dass ihr manchmal vor Misstrauen innerlich schwarz werdet?«

Cecilie schnitt eine Grimasse.

»Ich frage ja nur«, beteuerte er. »Obwohl wir gesehen haben, wie die Menschen kommen und gehen, wissen wir nicht genau, was für ein Gefühl das ist, aus Fleisch und Blut zu sein.«

Cecilie wand sich im Bett. Ariel ließ aber nicht locker.

»Ist es nicht wenigstens ein bisschen scheußlich, so misstrauisch zu sein?«

»Noch scheußlicher dürfte es sein, einer Kranken voll ins Gesicht zu lügen!«

Er schlug sich die Hand vor den Mund und keuchte erschrocken:

»Engel lügen nicht, Cecilie!«

Nun war sie diejenige, die nach Luft schnappte.

»Bist du wirklich ein Engel?«

Er nickte nur kurz – so als ob das nun wirklich kein Grund zum Protzen sei. Cecilie war jetzt ein bisschen kleinlaut. Erst nach einigen Sekunden sagte sie:

»Ich habe mir so etwas schon die ganze Zeit gedacht, ehrlich. Aber ich habe mich nicht getraut zu fragen. Ich hätte mich ja auch irren können. Ich weiß nämlich nicht, ob ich überhaupt an Engel glaube.«

Diese Behauptung fegte er mit großer Geste beiseite.

»Ich finde, das Spiel sollten wir uns schenken. Stell dir vor, ich würde sagen: Ich weiß nicht, ob ich an dich glaube. Dann könnten wir doch unmöglich beweisen, wer von uns Recht hat.«

Wie um zu demonstrieren, dass er ein gesunder und zurechnungsfähiger Engel sei, sprang er von der Fensterbank auf den Schreibtisch und lief auf der Tischplatte hin und her. Zweimal schien er das Gleichgewicht zu verlieren und auf den Boden zu fallen, aber in letzter Sekunde fing er sich jedes Mal wieder. Einmal schien er sich sogar zu fangen, als es dafür eigentlich schon zu spät war.

»Ein Engel bei mir zu Haus«, murmelte Cecilie vor sich hin, als wäre es der Titel von einem Buch, das sie gelesen hatte.

»Wir nennen uns einfach nur Gotteskinder«, erwiderte Ariel.

Sie blickte zu ihm hoch.

»Du dich zumindest …«

»Wie meinst du das?«

Cecilie versuchte sich im Bett etwas mehr aufzurichten, sank aber schwer zurück auf ihr Kissen.

»Du bist doch bloß so ein Engelkind«, sagte sie.

Er lachte ein lautloses Lachen.

»Was ist daran so lustig?«

»Engelkind. Findest du das kein lustiges Wort?«

Cecilie wusste nicht, warum sie das Wort überhaupt nicht lustig fand.

»Du bist ja wohl kein erwachsener Engel«, sagte sie. »Also musst du ein Engelkind sein.«

Wieder lachte Ariel, diesmal etwas lauter.

»Engel wachsen nicht auf Bäumen«, sagte er. »Wir wachsen überhaupt nicht, deshalb werden wir auch nicht ›erwachsen‹.«

»Ich glaub, gleich fall ich in Ohnmacht«, rief Cecilie.

»Wie schade, jetzt, wo wir schon so weit gekommen sind.«

»Aber ich dachte, Engel wären immer erwachsen«, beharrte sie.

Ariel zuckte mit den Schultern.

»Ist nicht dein Fehler. Du kannst ja nur raten, was es auf der anderen Seite gibt.«

»Soll das heißen, es gibt überhaupt keine erwachsenen Engel?«

Er lachte ein perlendes Lachen. Cecilie musste an Lasses Klicker denken, wenn die über den Küchenboden kullerten. Aber jetzt brauchte sie wenigstens nicht beim Aufsammeln zu helfen.

»Also gibt es keinen einzigen erwachsenen Engel«, stellte sie fest. »Von mir aus gern, nur gibt es dann auch keinen einzigen echten Pastor. Pastoren behaupten nämlich ständig, es wimmele nur so von erwachsenen Engeln im Himmel.«

Einen Moment war es ganz still, dann zeigte der Engel Ariel mit eleganter Geste ins Zimmer.

»Es wimmelt nur so von erwachsenen Engeln im Himmel!«, rief er. »Es wimmelt!«

Als Cecilie nicht sofort etwas sagte, fügte er hinzu:

»Es ist ganz toll, mit dir zu reden, Cecilie!«

Sie nagte an ihrem Daumen. Dann rutschte ihr die Bemerkung heraus: »Ich wüsste ja gern, was das für ein Gefühl ist, erwachsen zu sein.«

Ariel setzte sich auf den Schreibtisch und baumelte mit den nackten Beinen.

»Möchtest du darüber reden?«

Sie blieb liegen und starrte die Decke an.

»Mein Lehrer sagt, Kindheit ist nur eine Station auf dem Weg zum Erwachsensein. Deshalb müssen wir unsere Hausaufgaben machen und uns auf das Erwachsenenleben vorbereiten. Ist das nicht bescheuert?«

Ariel nickte.

»In Wirklichkeit ist es genau umgekehrt.«

»Wie bitte?«

»Erwachsensein ist nur eine Station auf dem Weg zur Geburt neuer Kinder.«

Cecilie dachte erst einmal nach, ehe sie antwortete.

»Aber die Erwachsenen sind zuerst erschaffen worden. Wenn nicht, gäbe es keine Kinder.«

Ariel schüttelte den Kopf.

»Wieder falsch. Die Kinder sind zuerst erschaffen worden. Wenn nicht, gäbe es keine Erwachsenen.«

Cecilie kam eine schlaue Idee:

»Die Frage ist, was war zuerst da, die Henne oder das Ei.«

Er baumelte wieder mit den Beinen.

»Amüsiert ihr euch immer noch mit dem alten Rätsel? Ich habe es zum ersten Mal von einem Hühnerhirten in Indien gehört, aber das ist schon viele tausend Jahre her. Der Mann bückte sich über ein Huhn, das gerade ein großes Ei gelegt hatte. Dann kratzte er sich am Kopf. ›Ich wüsste zu gern, was zuallererst da war‹, sagte er schließlich, ›die Henne oder das Ei.‹«

Cecilie blickte verlegen zu Ariel auf und der Engel erklärte:

»Natürlich musste zuerst das Ei da sein.«

»Warum denn?«

»Sonst hätte es ja kein Huhn geben können. Du glaubst doch nicht etwa, das erste Huhn der Welt sei einfach so aus der Luft geflattert?«

Langsam drehte sich alles in Cecilies Kopf. Sie wusste nicht, ob sie das Ganze verstanden hatte, was der Engel sagte, aber das, was sie begriffen hatte, klang sehr überzeugend. Endlich habe ich das alte Rätsel gelöst, dachte sie. Wenn ich mich morgen bloß noch an alles erinnern kann …

»So ist es auch mit den Kindern«, sagte Ariel. »Sie kommen zuallererst auf die Welt. Die Erwachsenen hinken immer hinterher. Je älter sie werden, desto schlimmer hinken sie.«

Cecilie fand Ariels Worte so klug, dass sie sie gern in ihr chinesisches Notizbuch geschrieben hätte, um sie nicht zu vergessen. Aber sie traute sich nicht, solange der Engel zusah.

»Adam und Eva waren doch aber erwachsen«, sagte sie.

Ariel schüttelte den Kopf.

»Sie *wurden* erwachsen. Das war der große Patzer. Als Gott Adam und Eva schuf, waren sie kleine neugierige Kinder, die auf die Bäume kletterten und durch den großen Garten rannten, den er gerade erschaffen hatte. Es bringt doch nichts, einen großen Garten zu haben, wenn es keine Kinder gibt, die darin spielen können.«

»Und das ist wahr?«

»Ich sage doch: Engel lügen nicht.«

»Erzähl weiter, bitte!«

»Dann hat die Schlange sie in Versuchung geführt, vom Baum der Erkenntnis zu essen; danach fingen sie an zu wachsen. Je mehr sie aßen, desto mehr wuchsen sie. Und auf diese Weise wurden sie schrittweise aus dem Paradies der Kindheit vertrieben. Die kleinen Schlingel hatten einen solchen Hunger auf Wissen, dass sie sich schließlich aus dem Paradies hinausgefressen haben!«

Cecilie riss die Augen auf, Ariel blickte nachsichtig auf sie herab.

»Aber die Geschichte kennst du natürlich schon«, sagte er.

Sie schüttelte den Kopf.

»Es hieß zwar, dass Adam und Eva aus dem Paradies vertrieben wurden, aber niemand hat mir gesagt, dass es sich um das Paradies der *Kindheit* handelte.«

»Ein Stückweit hättest du das ja auch selbst erraten können. Aber ihr versteht immer nur Bruchstücke. Ihr seht alles durch einen Spiegel, in einem dunklen Wort ...«

Cecilie lächelte schlau.

»Ich kann mir jedenfalls gut vorstellen, wie der kleine Adam und die kleine Eva im großen Garten zwischen den Bäumen herumgehüpft sind.«

»Hab ich's nicht gesagt?«

»Was denn?«

»Du kommst mit Raten ganz schön weit. Hast du gewusst, dass die Menschen nur einen kleinen Prozentsatz ihres Gehirns nutzen?«

Cecilie nickte, denn das hatte sie in der »Illustrierten Wissenschaft« gelesen. »Ich möchte gern mehr über Adam und Eva hören«, sagte sie bittend.

Sie hatte sich jetzt im Bett etwas höher gezogen. Ariel baumelte noch immer mit den Beinen und erzählte:

»Zuerst fingen sie an allen Ecken und Enden an zu wachsen. Dann wurden sie geschlechtsreif. Das war sicher ein Teil der Strafe, aber es war für Gott und die Menschen auch ein Trost.«

»Wieso das denn?«

»Jetzt konnten neue Menschen in die Welt gesetzt werden. Und so war es dann zu allen Zeiten. Gott hat auf diese Weise dafür gesorgt, dass immer wieder Kinder geboren werden, die die Welt neu entdecken können. Die Welt wird nämlich jedes Mal neu erschaffen, wenn ein Kind geboren wird.«

»Weil, wenn ein Kind zur Welt kommt, die Welt ganz neu ist für dieses Kind?«

Er nickte.

»Du kannst übrigens auch sagen, dass die Welt zum Kind kommt. Geboren zu werden bedeutet, dass wir die ganze Welt geschenkt bekommen – mit der Sonne tagsüber, dem Mond und den Sternen am blauen Himmelszelt nachts. Mit einem Meer, das die Strände überspült, mit so tiefen Wäldern, dass sie nicht einmal ihre eigenen Geheimnisse kennen, mit seltsamen Tieren, die durch die Landschaft ziehen. Die Welt wird nie alt und grau. Ihr werdet alt und grau. Aber solange Kinder in die Welt gesetzt werden, ist *sie* so funkelnagelneu wie am siebten Tag, als der Herr ruhte.«

Cecilie lag mit halb offenem Mund da und der Engel sprach weiter:

»Nicht nur Adam und Eva sind schließlich erschaffen worden. Auch du wurdest ein wenig erschaffen. Plötzlich, eines Tages, kam die Reihe an dich, dir anzusehen, was der Herr erschaffen hatte. Du wurdest aus Gottes Ärmel geschüttelt und erwischtest dich selbst quicklebendig in der Luft. Und du sahst, dass alles außerordentlich gut war.«

Cecilie musste lachen. Sie fragte:

»Wart ihr wirklich all die Zeit über hier?«

Der Engel Ariel nickte feierlich.

»Hier und dort, ja. Aber wir sind noch immer genauso neugierig auf alles, was mit der Schöpfung zu tun hat, wie vor einer halben Ewigkeit. Das ist auch kein Wunder, wir betrachten ja alles von außen. In der ganzen Schöpfung sind nur die Kinder genauso neugierig wie wir. Aber die kommen ja in gewisser Hinsicht auch von außen.«

Während ihrer Krankheit hatte Cecilie sich oft überlegt: Die Erwachsenen mussten immer erst nachdenken, ehe sie etwas Lustiges unternahmen. Und nichts versetzte sie so richtig in Staunen. »So ist es eben, Cecilie«, sagten sie bloß.

»Aber Gott hat die Erwachsenen doch sicher auch ein bisschen lieb?«, fragte sie vorsichtig.

»Sicher. Obwohl sie allesamt seit dem Sündenfall nicht mehr ganz so das Wahre sind.«

»Nicht mehr ganz so das Wahre?«

»Sie haben sich die Welt zur Gewohnheit werden lassen. Den Engeln im Himmel geht das nicht so, obwohl wir schon seit aller Ewigkeit da sind. Wir staunen noch immer über das, was Gott erschaffen hat. Er selbst ist übrigens auch ziemlich verblüfft. Deshalb freut er sich über neugierige kleine Kinder mehr als über das weltgewandte Auftreten der Erwachsenen.«

Cecilie überlegte und überlegte, sie hatte das Gefühl, ihr Kopf sprühe Funken. Während der Krankheit war ihr Kopf schon öfter zum Rummelplatz für schlaue Gedanken geworden, wobei sie nicht mal eine Fahrkarte lösen musste, um mit der Berg-und-Tal-Bahn zu fahren.

»Die Erwachsenen haben sich in der Regel sehr an die Welt gewöhnt, weshalb sie die ganze Schöpfung als gegeben hinnehmen«, erklärte Ariel. »Das ist eigentlich ein komischer Gedanke, schließlich sind sie ja nur zu einem kurzen Besuch hier.«

»Stimmt!«

»Wir sprechen über die Welt, Cecilie! Als ob die Welt keine Sensation wäre! Vielleicht sollte der Himmel in regelmäßigen Abständen bei den großen Zeitungen Anzeigen aufgeben: ›Wichtige Mitteilung an alle Bürgerinnen und Bürger der Welt! Es ist nicht nur ein Gerücht: DIE WELT IST HIER UND JETZT!‹«

Cecilie wurde richtig schwindlig von dem, was der Engel Ariel erzählte. Ihr wurde auch schwindlig vom Zusehen, wie er mit seinen nackten Beinen baumelte und strampelte.

»Wäre es nicht besser gewesen, wenn Gott die miese Schlange aus dem Paradies vertrieben hätte?«, fragte sie. »Dann hätten doch Adam und Eva für alle Ewigkeit in dem großen Garten spielen können.«

Der Engel Ariel legte den Kopf schräg und sagte:

»So einfach war das aber nicht. Weil ihr aus Fleisch und Blut seid, könnt ihr nicht ewig leben wie die Engel im Himmel. Aber Gott brachte es nicht übers Herz, die Schöpfung so einzurichten, dass Kinder einfach sterben müssen. Es ist doch immer noch besser, sie zuerst erwachsen werden zu lassen.«

»Warum das denn?«

»Weil es viel leichter ist, sich von der Welt zu verabschieden, wenn man ein halbes Dutzend Enkelkinder hat und sich schwindlig und dösig fühlt und außerdem völlig voll gestopft ist mit Tagen.«

Cecilie war von dieser Antwort nicht sehr beeindruckt.

»Manchmal sterben auch Kinder«, widersprach sie. »Ist das nicht totaler Schwachsinn?«

»›Ist das nicht totaler Schwachsinn?‹«, wiederholte der Engel Ariel. »›Ist das nicht totaler Schwachsinn?‹«

Als er danach schwieg, ergriff wieder Cecilie das Wort.

»Bist du ganz sicher, dass Adam und Eva Kinder waren?«

»Ganz sicher, ja. Ist dir noch nie der Gedanke gekommen, dass Kinder die größte Ähnlichkeit mit den Engeln im Himmel haben? Oder hast du je einen Engel mit grauen Haaren, gebeugtem Rücken und tiefen Falten im Gesicht gesehen?«

Etwas an dieser Frage reizte Cecilie zum Widerspruch.

»Ich finde aber Oma kein bisschen hässlich, auch wenn sie alt ist!«

»›Ich finde aber Oma kein bisschen hässlich‹«, wiederholte Ariel. »Das behauptet ja auch niemand. Aber in ihrem alten Körper wohnt eine kleine Eva, die einmal ganz neu auf der Welt war. Das andere ist nur im Lauf der Jahre außen angewachsen.«

Cecilie seufzte tief.

»Wenn ich mal meine Meinung sagen darf, finde ich, dass die Schöpfung ziemlich idiotisch eingerichtet ist.«

»Warum denn?«

»Ich habe nicht die geringste Lust, erwachsen zu werden. Und sterben will ich auch nicht. Nie im Leben!«

Ein Schatten huschte über das Gesicht des Engels.

»Versuch, nicht den Kontakt zu dem kleinen Kind in dir zu verlieren. Deine Großmutter hat das auch nicht getan. Setzt sie nicht sogar manchmal eine Clownsmaske auf, um dich zum Lächeln zu bringen?«

»O ja!«

Im nächsten Moment stand der Engel Ariel auf dem Boden. Cecilie hatte ihn nicht vom Schreibtisch springen sehen, aber plötzlich stand er vor dem Bücherregal und sah sich die Kristalle und Halbedelsteine an. Er war etwas kleiner als Lasse.

»Beeindruckende Sammlung«, sagte er mit dem Rücken zu ihr.

Dann drehte er sich um.

»Hast du dir schon mal überlegt, dass jeder Stein ein kleines Bruchstück der Erde ist?«

»Oft. Ich sammle nur die schönsten Stücke ...«

»Aber du hast dir vielleicht nicht überlegt, dass du ein Stück von der Erdkugel abgebrochen hast.«

Sie fuhr zusammen.

»Wieso das denn?«

»Du springst leichtfüßig durch die Schöpfung. Ein Stein schafft das nicht.«

Erst jetzt konnte Cecilie sein Gesicht deutlich sehen. Seine Haut war viel glatter und reiner als Menschenhaut, etwas blasser war sie auch. Cecilie hatte sich fast schon an den Anblick seines kahlen Kopfes gewöhnt.

Jetzt sah sie, dass ihm auch Augenbrauen und Wimpern fehlten.

Er kam auf sie zu und setzte sich auf den Stuhl vor ihrem Bett. Seine Schritte waren so leicht, sie schienen den Boden überhaupt nicht zu berühren. Es war, als ob er einfach durchs Zimmer glitte. Seine Augen strahlten wie zwei blaugrüne Edelsteine, und wenn er sie anlächelte, so wie jetzt, glitzerten seine Zähne wie weißer Marmor.

Cecilie hatte während der Unterhaltung mehrmals seinen kahlen Kopf gemustert. Jetzt fragte sie:

»Macht es dir etwas aus, wenn ich dich nach deinen Haaren frage?«

Er lachte.

»Nein, frag nur. Vielleicht können wir danach über deinen Bart reden.«

Sie starrte ihre Decke an.

»Ich dachte, Engel hätten lange blonde Locken.«

»Weil du alles in einem Spiegel siehst. Da lässt es sich kaum vermeiden, dass du nur dich selbst siehst.«

Sie war mit der Antwort nicht ganz zufrieden.

»Kannst du mir nicht einfach verraten, warum ihr keine Haare auf dem Kopf habt?«

Er sagte:

»Haut und Haare wachsen am Körper und fallen dauernd wieder aus. Sie gehören zu Fleisch und Blut und sollen vor allerlei Plunder wie Kälte und Hitze schützen. Haut und Haare sind verwandt mit dem Fell der Tiere. Sie haben nichts mit Engeln zu tun. Du könntest auch fragen, ob wir uns die Zähne putzen –

oder ob wir uns jeden zweiten Samstag die Nägel schneiden.«

»Und nichts davon tut ihr?«

Er schüttelte den Kopf.

»Es liegt nicht an solchen Dingen, dass du und ich trotzdem Ähnlichkeit miteinander haben.«

»Woran dann?«

Er blickte auf sie herab.

»Engel und Menschen haben beide eine Seele, die Gott geschaffen hat. Aber ihr habt auch einen Körper, der seinen eigenen Weg geht. Ihr wachst und entwickelt euch wie Pflanzen und Tiere.«

»Idiotisch«, seufzte Cecilie. »Ich denke ungern daran, dass ich ein Tier bin.«

Ariel redete einfach weiter, als ob er sie nicht gehört hätte.

»Alle Pflanzen und Tiere fangen ihr Leben als kleine Samenkörner oder Zellen an. Zuerst sind sie sich so ähnlich, dass man gar keinen Unterschied erkennen kann. Aber dann entfalten sich die kleinen Samenkörner langsam und werden alles von Johannisbeersträuchern und Pflaumenbäumen bis zu Menschen und Giraffen. Es dauert viele Tage, bis man einen Unterschied zwischen einem menschlichen und einem Schweineembryo sehen kann. Hast du das gewusst?«

Sie nickte.

»In den letzten Wochen habe ich fast nichts anderes gemacht als die ›Illustrierte Wissenschaft‹ zu lesen.«

»Und doch sind keine zwei Menschen oder auch keine zwei Schweine völlig identisch. In der ganzen Schöpfung gibt es keine zwei Strohhalme, die ganz miteinander übereinstimmen.«

Cecilie fiel eine Tüte mit japanischen Papierkugeln ein, die ihr Vater vor vielen Jahren einmal geschenkt hatte. Sie waren so klein gewesen, dass kein Unterschied zu erkennen gewesen war. Aber als sie sie in Wasser gelegt hatte, waren sie aufgequollen und hatten sich zu verschiedenen Figuren in allen möglichen Farben entfaltet. Und keine zwei von ihnen waren ganz gleich gewesen.

»Ich habe ja schon gesagt, ich denke nicht gern daran, dass ich ein Tier bin«, wiederholte sie.

Ariel berührte mit einer Hand vorsichtig ihre Decke. Sie konnte nur mit Mühe einen leichten Druck an der einen Wade spüren.

»Du bist ein Tier mit einer Engelsseele, Cecilie. Und von beiden hast du gerade das Beste. Klingt das nicht toll?«

»Ich weiß nicht ...«

»Diese Kombination ist doch das eigentliche Kunststück. Du bist bei vollem Bewusstsein, genau wie die Engel im Himmel. ›Guten Abend, junger Mann! Ich bin Cecilie Skotbu. Darf ich um diesen Tanz bitten?‹«

Der Engel Ariel streckte den Arm aus und machte eine tiefe Verbeugung. Er schien direkt aus der Tanzschule zu kommen. Er fügte hinzu:

»Aber der Körper, in dem du wohnst, ist aus Fleisch und Blut, genau wie bei Kühen und Kamelen. Deshalb wachsen Haare auf deinem Körper, vor allem natürlich auf deinem Kopf, aber sie wachsen auch an anderen

Stellen, wenn auch zuerst nicht so viele. Dann geht es immer schneller, Cecilie, im Lauf der Zeit werden es immer mehr. Die Natur wächst in immer dickeren Schichten um das kleine Kind herum, das einst zur Welt gekommen ist. Wenn ihr aus der Hand des Schöpfers entlassen werdet, sind eure Körper so glatt und rein wie die der Engel im Himmel. Aber das ist nur äußerlich so, denn der Sündenfall hat schon angefangen. Im Körper machen sich Fleisch und Blut zu schaffen und sie sorgen dafür, dass ihr nicht ewig lebt.«

Cecilie biss sich auf die Lippe. Sie sprach nicht gern über Dinge, die mit ihrem Körper zu tun hatten. Und der Gedanke, dass sie langsam erwachsen wurde, gefiel ihr auch nicht.

»Lasse hatte in seinen ersten zwei Jahren kein einziges Haar auf dem Kopf«, sagte sie.

»Das brauchst du mir nicht zu erzählen.«

»Dann weißt du vielleicht auch, dass ich im Krankenhaus eine sehr starke Therapie bekommen habe, von der mir alle Haare ausgefallen sind.«

Er nickte.

»Da hatten wir noch mehr Ähnlichkeit miteinander.«

»Eigentlich sollte ich die Therapie noch einmal machen, aber dann haben wir es uns anders überlegt ...«

»Auch das weiß ich.«

»Großmutter hat alle überredet, auch die Ärzte. Sie ist unglaublich, wenn sie erst mal loslegt. Danach haben wir einfach meinen Koffer gepackt und das Krankenhaus verlassen. Aber Kristine kommt mehrmals die Woche. Sie ist Krankenschwester ...«

»Das weiß ich alles.«

Cecilie blickte zur Decke. Sie dachte eine Weile über das Ganze nach, was in den letzten Monaten passiert war. Dann wandte sie sich wieder Ariel zu:

»Bist du ganz sicher, dass du ein richtiger Engel bist?«

»Ich habe doch gesagt, Engel lügen nicht.«

»Aber wenn du lügst, bist du ja kein Engel, und dann ist es vielleicht doch möglich, dass du lügst.«

Er seufzte tief.

»Euer Misstrauen ist wirklich verflixt kompliziert!«

Cecilie lief es kalt den Rücken runter. Ob das von ihrem Misstrauen kam?

»Darf ich dir eine richtig blöde Frage stellen?«, bat sie.

»Fragen ist nie blöde.«

Sie holte tief Luft.

»Bist du ein Mädchen oder ein Junge?«

Ariel lachte ein glasklares Lachen. Cecilie fand, es klang wie früher, wenn sie auf Flaschen gespielt hatte, die mit Wasser gefüllt waren. Es hörte sich derart witzig an, dass sie ihre Frage gleich wiederholte:

»Bist du ein Mädchen oder ein Junge?«

Er hatte sie offenbar durchschaut, denn er lachte noch einmal ausgiebig, aber diesmal hörte sich sein Lachen ziemlich angestrengt an.

»Das ist eine *sehr* irdische Frage.«

Sie war gekränkt. Er hatte doch gerade gesagt, dass Fragen nie blöde sein könnten.

»Diese komischen Unterschiede gibt es im Himmel

nicht«, erklärte er. »Aber du kannst mich gern für einen ›Jungen‹ halten, dann haben wir von jeder Sorte ein Exemplar.«

»Warum gibt es dann bei uns solche ›komischen Unterschiede‹?«

»Darüber haben wir doch schon gesprochen. Es *muss* zwei verschiedene Geschlechter geben, wenn neue Kinder auf die Welt kommen sollen. Das weißt du auch, Cecilie. Aber für einen Engel ist es wirklich nicht lustig, über dieses Thema zu sprechen.«

»Entschuldigung!«

»Schon gut. Gott hätte sicher keinen Unterschied zwischen Jungen und Mädchen gemacht, wenn sie nicht zu Männern und Frauen werden sollten, die neue Kinder machen. Damals ist ihm wahrscheinlich keine bessere Methode eingefallen. Hast du etwa einen besseren Vorschlag?«

»Ich weiß nicht.«

Jetzt wurde Ariel eifrig.

»Wenn ihr durch Knospung entstehen würdet, hättest du sicher danach gefragt. Aber egal wie, immer könnte alles auch ganz anders sein. Ihr könntet zum Beispiel im Innern der Erde wohnen, statt draußen auf ihr herumzukrabbeln. Es wäre sicher nicht unmöglich, in der Erde Städte und Bauernhöfe zu bauen, wenn die Verhältnisse entsprechend wären. Und wenn die Verhältnisse nicht entsprechend wären, könnte man sie immer noch ändern. Es ist natürlich keine kleine Kunst, eine Welt zu erschaffen, aber man fängt ja immer mit einem weißen Blatt an.«

»Das ist ein komischer Gedanke«, meinte Cecilie. »Und je länger ich darüber nachdenke, desto komischer wird er.«

»Was denn?«

»Dass es auf der Erde zwei Sorten von Menschen gibt.«

Er lächelte schelmisch.

»Das gehört zu den Dingen, über die wir im Himmel auch immer wieder diskutieren. Aber das ist nicht dasselbe.«

»Wieso nicht?«

»Weil wir nicht über uns selbst diskutieren. Es ist bestimmt noch viel seltsamer, sich darüber zu wundern, was man selbst ist. Ich glaube nicht, dass es irgendein Stein seltsam findet, ein Stein zu sein. Und sicher kommt es auch keiner Schildkröte seltsam vor, dass sie eine Schildkröte ist. Aber manche Menschen finden es nun mal seltsam, ein Mensch zu sein. Ich kann ihnen da nur zustimmen. Ich habe mich nie mit Steinen oder Schildkröten auf gleicher Wellenlänge gefühlt.«

»Aber findest du es nicht seltsam, ein Engel zu sein?«

Er antwortete erst nach einer Weile.

»Das ist etwas ganz Anderes, ich bin doch schon seit aller Ewigkeit ein Engel. Du aber bist erst seit ganz kurzer Zeit Cecilie Skotbu.«

»Stimmt! Und ich finde es noch immer sehr seltsam, ich zu sein.«

»Die ganze Schöpfung ist natürlich ein Rätsel«, stellte Ariel fest. »Aber am seltsamsten ist trotzdem, dass es irgendwo am Rand des großen Rätsels Geschöpfe gibt, die sich selbst als Rätsel erleben.«

»Warum ist das seltsam?«

»Es ist ungefähr so, als ob ein Brunnen in seiner eigenen erstaunlichen Tiefe untertauchen könnte.«

»Das ist mir schon oft passiert«, versicherte Cecilie.

»Was?«

»Dass ich vor dem Spiegel gestanden und mir selber tief in die Augen geschaut habe. Und dann habe ich gedacht, ich bin ein so tiefer Brunnen, dass ich nicht bis zum tiefsten Grund blicken kann.«

»Wahrscheinlich kommt das davon, dass du dich die ganze Zeit über veränderst. Wenn man sich dauernd ein bisschen ändert, ist es kein Wunder, dass man sich auch ein bisschen wundert. Angenommen, eine Larve könnte denken, würde sie bestimmt ganz schön staunen, wenn sie eines Tages begriffe, dass sie plötzlich ein Schmetterling ist. Das passiert ja fast über Nacht. Aber die Engel im Himmel wundern sich ebenso darüber, dass ein kleines Mädchen plötzlich eine erwachsene Frau geworden ist. Für uns spielt der kleine Zeitraum keine große Rolle.«

»Warum nicht?«

»Engel haben sehr viel Zeit, Cecilie, und zwischen einem kleinen Mädchen und einer erwachsenen Frau besteht ein großer Unterschied.«

»Sprecht ihr wirklich im Himmel über solche Fragen?«

Ariel nickte verlegen. Er schaute sich im Zimmer um, dann sagte er: »Aber wir versuchen es nicht zu tun, wenn Gott in der Nähe ist. *Er* reagiert nämlich ziemlich empfindlich auf Kritik.«

»Hätte ich nie gedacht!«

»Ihr denkt euch so vieles, aber ihr könnt nicht erwarten denselben Überblick zu haben wie die Engel im Himmel.«

»Ich wollte nur sagen, ich hätte gedacht, Gott sei über jegliche Kritik erhaben.«

»Du bist ihm doch nie von Angesicht zu Angesicht begegnet. Aber wenn du selbst eine ganze Welt erschaffen hättest, würdest du sicher auch ein bisschen empfindlich auf Kritik reagieren. Wir reden ja hier nicht von Kleinigkeiten. Obwohl Gott auf alles blickte, was er geschaffen hatte, und sah, dass es gut war, hätte manches trotzdem ein bisschen anders gemacht werden können. Als er alles erschaffen hatte, war er jedoch so erschöpft, dass er den ganzen siebten Tag ruhen musste. Er kippte einfach um, verstehst du. Ich glaube, es wird noch sehr lange dauern, ehe er einen neuen Versuch macht.«

Cecilie war mit ihren eigenen Gedanken beschäftigt. Sie sagte:

»Stell dir vor, es gäbe nur ein Geschlecht. Oder vielleicht auch drei, das wäre vielleicht das Allerbeste.«

»Findest du nicht, dass Mann und Frau auch so schon genug Unfug anstellen?«

»Manches von dem Unfug liegt nur daran, dass es bloß zwei Geschlechter gibt. Vor allem dann, wenn eine Familie viele Kinder hat. Du scheinst dich ja mit dem Leben auf der Erde nicht sonderlich auszukennen.«

Ariel zuckte mit den Schultern.

»Ich möchte gern mehr lernen.«

»Wenn drei Geschlechter notwendig wären, damit ein

Kind geboren wird«, beharrte Cecilie, »würden nicht so viele Kinder auf die Welt kommen, und das wäre schon einmal eine Hilfe gegen die Überbevölkerung ...«

»Moment mal«, warf der Engel Ariel ein. »Jetzt komme ich nicht mehr mit.«

Cecilie seufzte resigniert.

»Ich dachte, Engel kriegen alles mit.«

»Nicht, wenn ihr über Geburten und so was redet. Dann sind wir so weit weg vom Himmel, wie das für Engel überhaupt möglich ist.«

»Ich meine nur, dass mehr dazu gehört, bis drei Menschen sich so sehr mögen, dass sie zusammen Kinder haben wollen, mehr als bei zwei Menschen, die sich einfach ineinander verknallen und vielleicht ein Kind machen, ehe sie reif genug dazu sind.«

»Rein mathematisch gesehen also. Die beiden Geschlechter, die ein Kind wollen, schaffen das nicht ohne die Hilfe des dritten. Hast du es so gemeint?«

Sie nickte.

»Wenn zwei von den drei Geschlechtern Lust auf ein Kind hätten, könnte das dritte vielleicht sagen: ›Nein, Leute, hier muss wenigstens einer Vernunft bewahren. Wir sollten noch ein oder zwei Jahre warten. Ich bin dagegen, jetzt noch mehr Kinder zu machen. Das bringt zu viel Arbeit für uns mit sich.‹«

Sie musste über ihre Idee lachen. Ariel wurde angesteckt.

»Mit solchen witzigen Gedanken können wir uns auch im Himmel beschäftigen.«

Aber Cecilie war noch nicht fertig.

»Und es wären mehr Leute da, die sich um die Kinder kümmern könnten, zum Beispiel, wenn sie krank wären. Und zwei von den Erwachsenen hätten auch mal Zeit für sich, weil Mama oder Papa Nr. 3 sich dann um die Kinder kümmern könnte. Und es gäbe mehr, die die Kinder lieb hätten. Dann würden sich überhaupt viel mehr Menschen lieb haben.«

Ariels Miene war jetzt unergründlich. Er schien seit aller Ewigkeit genau dieselbe Maske getragen zu haben.

»Kommt es wirklich nur in Familien vor, dass Menschen sich gegenseitig lieb haben?«, fragte er.

»Vielleicht nicht, aber es gäbe dann sicher überhaupt etwas mehr Liebe auf der Welt, wenn es drei oder vier Eltern gäbe. Bloß ...«

»Bloß was?«

»Dann gäbe es auch mehr Trauer.«

»Trauer?«

Wieder biss sich Cecilie auf die Lippe.

»Wenn jemand sterben müsste, würden noch mehr Menschen trauern«, sagte sie dann.

Ariel schüttelte den Kopf.

»Jetzt bist du wieder zu schnell für mich.«

»Wieso denn?«

»Wenn es so wäre, gäbe es doch auf der Welt auch genau doppelt so viel Trost.«

»Und dann würde sich alles vielleicht ausgleichen?«

Er nickte.

»Aber wenn jede Familie nur zwei Kinder hätte, gäbe es am Ende keine Menschen mehr auf der Welt.«

»Warum?«

»Wenn drei Erwachsene zwei Kinder bekämen, würde es Schritt für Schritt immer weniger Menschen geben. Am Ende würde alles einfach aufhören.«

Cecilie lachte.

»Und eines schönen Tages wären nur noch ein Adam und eine Eva übrig und es wäre wieder so wie am Anfang. Und wenn ihnen dann noch die Erbsünde erlassen würde, könnten sie in alle Ewigkeit im Paradies leben. Wäre das nicht das Beste?«

»Schlecht wäre es wirklich nicht. Aber jetzt diskutieren wir über das eigentliche System der Schöpfung.«

»Und das bringt nichts? Du hörst dich fast an wie meine Mutter. Es ›bringt nichts‹, wenn ich mich beklage, dass ich krank bin, sagt sie. Egal, ich will jetzt nicht mehr über Krankheiten und so etwas reden.«

»Ich habe kein Wort von Krankheit gesagt. Aber ich verspreche dir, ich werde das mit den drei Geschlechtern erwähnen, wenn ich demnächst mal wieder mit Gott eine Runde plaudere. Er hat ja immerhin Sinn für Humor.«

»Ehrlich?«

Er lächelte nachsichtig.

»Hast du noch nie einen Elefanten gesehen? Du hast ja keine Ahnung, wie viele Elefantenwitze wir im Himmel haben. Wir haben übrigens auch Giraffenwitze.«

Cecilie wusste nicht, ob sie es richtig fand, dass sich die Engel im Himmel Witze über die Schöpfung erzählten. Sie machten sich die Sache damit irgendwie zu einfach.

»Ich hoffe, ihr erzählt nicht auch Witze über mich«, sagte sie.

»Nicht doch, ich habe in meinem Leben noch keinen einzigen Cecilienwitz gehört. Aber Spaß beiseite, selbst wenn du nur Bruchstücke verstehst, ist dir doch sicher klar, dass es jetzt zu spät ist, die Schöpfung noch zu korrigieren.«

»Vielleicht ...«

»Soll ich dir ein Geheimnis erzählen?«

»Ja!«

»Manchmal, wenn wir darüber reden, wie alles ist und wie alles hätte sein können, breitet Gott resigniert die Arme aus und sagt: ›Ich weiß ja auch, dass alles ein bisschen anders sein könnte, aber getan ist getan, und ich bin schließlich nicht allmächtig!‹«

Cecilie riss die Augen auf.

»Da wird dir aber jeder Pastor widersprechen!«

»Dann irren sich entweder die Pastoren oder Gott!«

Cecilie hielt sich die eine Hand vor den Mund und gähnte. Gleichzeitig verzog sich das Gesicht des Engels.

»Gleich kommt deine Mutter«, sagte er. »Also muss ich mich beeilen ...«

»Ich hör nichts.«

»Aber sie kommt jetzt.«

Cecilie hörte im Nachbarzimmer einen Wecker läuten.

»Gehst du?«

Er schüttelte den Kopf.

»Ich setze mich auf die Fensterbank.«

»Kann Mama dich da sehen?«

»Ich glaube nicht.«

Im nächsten Moment stand Cecilies Mutter im Zimmer.

»Cecilie?«

»Mmm ...«

»Du hast ja Licht an?«

»Wie du siehst.«

»Ich wollte nur schauen, wie es dir geht.«

»Ist schon Morgen?«

»Es ist drei Uhr.«

»Aber ich habe den Wecker gehört.«

»Ich hatte ihn auf drei gestellt.«

»Warum?«

»Weil ich dich lieb habe. Ich kann doch nicht einfach eine ganze Nacht vergehen lassen, und eine Weihnachtsnacht schon gar nicht.«

»Geh nur wieder schlafen, Mama.«

»Kannst du denn schlafen?«

»Manchmal schlafe ich, manchmal bin ich wach. Ich kann das eine nicht mehr vom andern unterscheiden.«

»Möchtest du irgendwas?«

»Ich hab ja Wasser.«

»Und zur Toilette musst du auch nicht?«

Cecilie schüttelte den Kopf.

»Ihr habt so schön gesungen. Ich bin eingeschlafen, obwohl Oma Klavier gespielt hat.«

»Soll ich ein bisschen das Fenster öffnen?«

»Ja, vielleicht.«

Mama ging ans Fenster. Cecilie glaubte Ariel auf der Fensterbank sehen zu können, aber er schien immer mehr zu verschwinden, als ihre Mutter sich näherte.

»Kannst du die Eisblumen sehen?«, fragte ihre Mutter. »Ist es nicht seltsam, dass die sich selber malen können?«

Sie öffnete das Fenster.

»So vieles ist seltsam, Mama. Aber ich hab das Gefühl, jetzt, wo ich krank bin, verstehe ich alles besser. Die ganze Welt scheint schärfere Umrisse zu bekommen.«

»Das ist oft so. Wir brauchen nur eine heftige Grippe zu haben, schon hören wir die Vögel draußen auf völlig andere Weise.«

»Hab ich dir erzählt, dass mir der Postbote heute zugewinkt hat?«

»Ja, hast du ... so, jetzt mache ich das Fenster wieder zu.«

Sie kam zum Bett zurück und nahm Cecilie in den Arm.

»Schlaf gut. Ich stelle den Wecker auf sieben.«

»Das brauchst du nicht. Es ist doch Weihnachten.«

»Gerade deshalb. Aber, Cecilie ...«

»Ja?«

»Sollen wir dein Bett nicht in unser Zimmer stellen? Das ist vielleicht schöner für dich ... und für Papa und mich auch ein bisschen einfacher.«

»Könnt ihr nicht lieber rüberkommen?«

»Doch, natürlich. Klingel einfach mit deiner Glocke, sooft du willst ... auch mitten in der Nacht.«

»Sicher. Aber Mama ...«

»Ja?«

»Wenn ich Gott wäre, hätte ich die Welt so erschaffen, dass jedes Kind mindestens drei Eltern hätte.«

»Warum sagst du so was?«

»Dann wärt ihr nicht so erschöpft. Und du und Papa hättet ein bisschen Zeit für euch, weil Mama oder Papa Nr. 3 sich um Lasse und mich kümmern würde.«

»So was darfst du nicht sagen.«

»Warum nicht? Ich weiß, dass sich die Schöpfung nicht mehr verändern lässt. Aber ich finde, dass Gott ein großer Dussel ist. Der ist ja nicht mal allmächtig!«

»Ich glaube, du bist ein bisschen wütend, weil du so krank bist!«

»Ein bisschen?«

»Oder von mir aus auch sehr. Schlaf jetzt gut. Wut hilft dir auch nicht weiter, Cecilie!«

»›Wut hilft dir auch nicht weiter, Cecilie!‹ Das hast du mir schon hundertmal gesagt.«

»Aber ich hoffe und bete, dass du wieder gesund wirst. Das tun wir alle.«

»Natürlich werde ich wieder gesund. Solchen Blödsinn hast du schon lange nicht mehr geredet.«

»Morgen kommt Kristine mit deiner Spritze.«

»Da siehst du's!«

»Was denn?«

»Du glaubst doch wohl selber nicht, dass sie am ersten Weihnachtstag den weiten Weg machen würde, wenn sie nicht glaubte, dass die Spritze hilft. Du bist wirklich schwachsinnig, Mama. Total dumpf im Kopf, weil du schon viel zu lange lebst.«

»Natürlich glaubt sie, dass die Spritze hilft. Das glaube ich doch auch ... Bist du sicher, dass du nicht in unser Zimmer umziehen willst?«

»Ich bin bald erwachsen. Kapierst du denn nicht, dass ich mein eigenes Zimmer haben will?«

»Doch, schon.«

»Und euch beim Schnarchen zuzuhören ist auch nicht besonders lustig.«

»Das verstehe ich.«

»Nimm's nicht persönlich … ach, und danke für die Geschenke.«

»Soll ich das Licht ausmachen?«

»Nein, das mach ich schon selbst. Und zwar in dem Moment, wenn ich mit Denken fertig bin.«

Als ihre Mutter wieder im Schlafzimmer war, fischte Cecilie Stift und Notizbuch unter ihrem Bett hervor und schrieb:

In jeder Sekunde werden funkelnagelneue Kinder aus dem Jackenärmel der Natur geschüttelt. Hokuspokus! In jeder Sekunde verschwinden auch viele Menschen. Gott schickt seine Menschen aus, er schickt Cecilie zum Tor hinaus …

Nicht wir kommen auf die Welt, die Welt kommt zu uns. Geboren zu werden bedeutet, dass uns eine ganze Welt geschenkt wird.

Manchmal breitet Gott resigniert die Arme aus und sagt sich: »Ich weiß ja, dass alles Mögliche anders sein könnte, aber getan ist getan, und ich bin schließlich nicht allmächtig.«

Cecilie schob Buch und Stift wieder unters Bett, dann nickte sie ein.

Sie wusste nicht, wie viel Zeit verstrichen war, als sie die Augen aufschlug und sich umsah. Der Schnee auf dem hohen Baum vor dem Fenster leuchtete ins Zimmer. Die Eisblumen an der Scheibe schienen aus Gold zu sein.

»Ariel«, flüsterte sie.

»Hier bin ich.«

»Aber ich kann dich nicht sehen.«

»Hier ...«

Erst jetzt entdeckte sie ihn. Er hatte es sich ganz oben im Bücherregal, dort, wo keine Bücher standen, gemütlich gemacht.

»Wie bist du da oben raufgekommen?«

»Für einen Engel ist das überhaupt kein Problem. Hast du gut geschlafen?«

Gleich darauf stand er vor ihr. Cecilie hatte ihn nicht springen sehen, sie hatte auch nichts gehört. Plötzlich stand er einfach vor ihr auf dem Boden und machte sich an den neuen Skiern zu schaffen.

»Schöne Skier«, sagte er. »Und ein schöner Schlitten.«

Er drehte sich zu ihr um, da sah sie wieder, wie schön er war. Seine Augen waren noch etwas klarer als in ihrer Erinnerung, blaugrün und geheimnisvoll. Sie erinnerten Cecilie an einen bestimmten Edelstein, von dem es ein schönes Bild in ihrem großen Buch über Schmucksteine gab. Wie hieß er doch noch – Sternsaphir?

»Woher hast du gewusst, dass Mama kommen würde?«, fragte sie.

»›Dass Mama kommen würde‹«, wiederholte Ariel. »›Woher hast du gewusst, dass Mama kommen würde?‹«

»Du äffst mich nach!«

»Ich will bloß wissen, wie die Wörter schmecken.«
»Wie die Wörter *schmecken*?«
Er nickte:
»Sie sind das Einzige, was ein Engel schmecken kann.«
»Und haben sie gut geschmeckt?«
»Ja, aber auch ein bisschen komisch.«
»Wieso das?«
»Findest du es nicht komisch, dass du mal im Bauch deiner Mutter rumgeplanscht hast?«
Cecilie seufzte nachsichtig. Ihr fiel ein, dass für einen Engel alles, was mit Geburt zu tun hatte, himmelweit entfernt war. Sie sagte:
»Woher hast du gewusst, dass sie kommen würde?«
»Sie hatte ihren Wecker auf drei Uhr gestellt.«
»Du kannst doch nicht auch durch die Wand sehen?«
Er machte einen Schritt auf sie zu.
»Jetzt hör endlich auf mit dem Quatsch. Was du ›Wand‹ nennst, ist für uns keine.«
Sie schlug sich die Hand vor den Mund.
»Dann hast du einen Röntgenblick. Kannst du auch durch meinen Körper hindurchsehen?«
»Wenn ich will. Aber ich weiß nicht, was das für ein Gefühl ist, wenn alles, was ihr esst, in eurem Magen vermischt und zu Fleisch und Blut wird.«
Ihr schauderte.
»Ich glaube, wir sollten lieber über etwas anderes reden.«
»Von mir aus gern.«
»Kannst du ein bisschen näher kommen?«

Gleich darauf saß er auf dem Stuhl vor Cecilies Bett. Er schien einfach den Platz gewechselt zu haben ohne sich zu bewegen.

»Ich habe nicht sehen können, wie du dich bewegt hast«, sagte sie. »Plötzlich sitzt du einfach hier.«

»Wir brauchen uns nicht so zu ›bewegen‹ wie ihr. Sag, wo ich hin soll, schon bin ich da.«

»Das musst du mir genauer erklären. Und du musst mir erzählen, wie ihr es schafft, durch geschlossene Türen zu gehen. Das habe ich noch nie kapiert.«

Er zögerte.

»Gut, aber nur unter einer Bedingung.«

Cecilie fuhr auf.

»Ich wusste gar nicht, dass Engel für ihre guten Taten Bedingungen stellen!«

»Du bittest mich ja auch nicht um eine gute Tat. Du willst, dass ich dir die himmlischen Geheimnisse verrate.«

»Und was ist deine Bedingung?«

»Dass du mir die irdischen Geheimnisse erzählst.«

»Ach, die kennst du doch alle!«

Ariel rutschte zur Stuhlkante vor.

»Ich weiß nicht, was es für ein Gefühl ist, einen Körper aus Fleisch und Blut zu haben«, sagte er. »Ich weiß nicht, was es für ein Gefühl ist, wenn man wächst. Ich weiß auch nicht, was es für ein Gefühl ist zu essen, zu frieren oder süß zu träumen.«

»Ich bin bestimmt nicht der erste Mensch, mit dem du redest. Hast du nicht gesagt, dass ihr schon seit aller Ewigkeit da seid?«

»Ich habe aber auch gesagt, dass wir Engel nie aufhören uns über die Schöpfung zu wundern. Und wir offenbaren uns durchaus nicht so oft. Als Krankenengel bin ich zuletzt vor über hundert Jahren in Deutschland eingesetzt worden.«

»Und bei wem warst du damals?«

»Er hieß Albert und war sehr krank.«

»Was ist aus ihm geworden?«

»Es ging leider nicht gut. Deshalb war ich ja da.«

Cecilie schnaubte.

»Ihr kommt doch nicht nur zu Besuch, wenn etwas schief geht. Solchen Blödsinn habe ich wirklich noch nie gehört!«

»Es ist nie Blödsinn, traurige Menschen zu trösten.«

»Hat er dir nicht erzählt, was es für ein Gefühl ist, aus Fleisch und Blut zu sein?«

Ariel schüttelte den Kopf.

»Dazu war er noch zu klein.«

»Schade ...«

»Warum?«

»Dann muss ich ja wohl die ganze Arbeit übernehmen.«

»Also ist es abgemacht?«

Cecilie versuchte sich etwas weiter aufzusetzen.

»Ich werd es versuchen«, sagte sie. »Aber du musst anfangen.«

»Abgemacht!«

Er machte es sich gemütlich. Unter seinem weißen Kittel lugten zwei nackte Beine hervor. Die legte er auf Cecilies Bett. Seine Waden waren so glatt wie die eines neugeborenen Kindes. Cecilie konnte auf seiner Haut keine einzige Pore erkennen.

Ehe sie Ariel kennen gelernt hatte, hatte sie nie daran gedacht, dass Körperhaare etwas mit Pflanzen und Tieren zu tun haben könnten. Jetzt wusste sie, wie seltsam es wäre, wenn ein Engel Haare an den Beinen hätte. Auf alten Bäumen konnte allerlei wachsen. Auf Menschen und Tieren auch. Sogar auf Steinen konnten Moos und Flechten wachsen. Aber auf einem Engel war das nicht möglich.

Sie betrachtete seine Zehennägel. Es war ganz klar, dass er sie niemals zu schneiden brauchte. Auch die Nägel erinnerten Cecilie an einen ihrer Steine, vielleicht an Bergkristall?

»Können Engel müde werden?«, fragte sie.

»Wie kommst du auf die Idee?«

»Weil du deine Beine auf meinem Bett liegen hast.«

Er lächelte gutmütig.

»Ich habe gesehen, wie vertraute Menschen zusammensitzen, wenn sie ein Gespräch führen.«

»Du äffst uns also schon wieder nach. Warum kannst du nicht du selbst sein? ›Ganz natürlich sein‹, sagt Mama immer.«

»Dann kann ich vielleicht auch dich bitten dich richtig hinzusetzen. Auf Dauer nervt es, mit einer zu reden, die nur schlaff im Bett liegt.«

»Ich bin wirklich *ziemlich* krank.«

»Setz dich einfach hin, Cecilie!«

Sie versuchte dem Engel zu gehorchen und bald saßen sie sich gegenüber – Cecilie im Bett, Ariel auf dem

Stuhl. Cecilie fühlte sich jetzt viel besser. Sie hatte schon lange nicht mehr gerade gesessen. Sie überlegte, was sie dem Engel über die irdischen Geheimnisse erzählen sollte.

Aber Ariel sollte ja anfangen.

»Viele Menschen halten die Engel für Schattenbilder, die zwischen Himmel und Erde umherflattern und keinen richtigen Körper haben ...«

»Genauso habe ich mir die Engel auch vorgestellt.«

»Aber es ist genau umgekehrt. Ihr kommt uns leicht und luftig vor. Wenn du einem Stein einen Tritt versetzt, stößt dein Fuß gegen den Stein. Wenn ich es machte, würde ich einfach durch den Stein hindurchtreten. Für mich ist ein Stein nicht fester als ein Nebelfetzen.«

»Dann verstehe ich, wie ihr durch Türen und Wände gleiten könnt ohne euch wehzutun. Aber ich begreife nicht, warum die Wände nicht dabei kaputtgehen.«

»Wenn du durch Nebel gehst, geht der Nebel doch auch nicht kaputt. Und wenn du an etwas denkst, können deine Gedanken der Umwelt doch auch keinen Schaden zufügen.«

»Kann schon sein. Aber wenn du durch eine Wand gehen kannst, muss es doch daran liegen, dass du keinen richtigen Körper hast.«

»Fass mal meinen Fuß an, Cecilie!«

Sie legte zwei Finger um seinen großen Zeh und drückte zu. Sie hatte das Gefühl, Stahl anzufassen.

Ariel sagte:

»Wir haben viel festere Körper als irgendetwas anderes in der Schöpfung. Ein Engel kann nie kaputtgehen.

Und zwar, weil wir keinen Körper aus Fleisch und Blut haben, von dem unsere Seele getrennt werden kann.«

»Sei froh ...«

»In der Natur ist das anders. Hier geht alles leicht entzwei. Sogar ein Berg wird langsam von den Naturkräften abgeschliffen und schließlich zu Erde und Sand.«

»Danke für die Information, aber das wusste ich schon.«

»Ihr seid für uns Schattenbilder, Cecilie, nicht umgekehrt. Ihr kommt und geht. Ihr seid diejenigen, die nicht von Bestand sind. Plötzlich taucht ihr auf und jedes Mal, wenn ein neugeborenes Kind auf den Bauch seiner Mutter gelegt wird, ist es von neuem wunderbar. Aber ebenso plötzlich seid ihr dann wieder verschwunden. Als wärt ihr Seifenblasen, die Gott fliegen lässt.«

Cecilie schloss halb die Augen.

»Entschuldigung, dass ich das so direkt sage, aber das riecht ein bisschen angebrannt.«

Er nickte.

»Das ist vielleicht gar nicht so dumm gesagt. Alles in der Natur ist wie ein langsamer Brand. Die ganze Schöpfung schwelt irgendwie im Moos vor sich hin.«

»Ich finde es aber nicht sehr angenehm, im Moos vor mich hinzuschwelen. Und der Gedanke, dass ich ein ›Schattenbild‹ bin, gefällt mir auch nicht.«

Ariel schlug sich die Hand vor den Mund – als merkte er plötzlich, dass er zu viel gesagt hatte.

»Doch füreinander seid ihr keine Schattenbilder«, fügte er schnell hinzu. »Muss dein Vater nicht fest zugreifen und alle Muskeln anspannen, wenn er dich nach unten ins Wohnzimmer tragen will?«

»Blabla!«

»Warum sagst du das?«

»Du hast die ganze Zeit so schlaue Antworten auf meine Fragen. Aber ich habe noch nicht gesehen, dass irgendetwas von dem, was du sagst, auch stimmt.«

»Jetzt geht das wieder los!«

»Was denn?«

»Du glaubst noch immer, ich lüge.«

Sie tat, als ob sie es überhört hätte.

»Kannst du zum Beispiel durch die Wand gehen und nachsehen, ob meine Eltern schlafen?«

»Wir sollten nicht allzu viele Spiele dieser Art treiben ...«

»Nur dies eine Mal, bitte!«

Ariel stand auf und ging langsam durchs Zimmer. Als er die Wand erreichte, ging er einfach weiter. Cecilie sah, wie er durch die Wand glitt. Am Ende war nur noch ein Fuß zu sehen, dann wurde auch der durch die Wand gezogen und war verschwunden. Einige Sekunden später geschah das Umgekehrte: Ariel glitt durch die Wand und stand wieder mitten im Zimmer.

»Sie schlafen beide«, sagte er. »Er hat einen Arm um ihre Schulter gelegt. Der Wecker ist auf sieben gestellt.«

»Bravo!«, rief Cecilie und klatschte in die Hände. »Jetzt brauche ich wenigstens nicht in ihrem Zimmer zu schlafen.«

»Nein, im Notfall könnte ich sie schneller wecken als irgendein Wecker.«

»Wirklich?«

Er lächelte resigniert. Sicher, weil sie ihm auch jetzt nicht glaubte.

»Das ist immer wieder witzig«, sagte er. »Sie glauben, dass sie von selbst wach werden. Und dann sagen sie: ›Was für ein Zufall, dass ich gerade jetzt aufgewacht bin. Ich habe irgendwie *gespürt,* dass etwas nicht stimmt.‹«

»Jedenfalls war es ein lustiger Anblick.«

»Es ist auch lustig, Erwachsenen beim Schlafen zuzusehen. Sie sehen oft aus wie kleine Kinder. Vielleicht träumen sie, dass sie draußen im Schnee spielen.«

Cecilie sagte lebhaft:

»Du bringst mich auf eine Idee! Kannst du dich nach unten in den Garten schleichen und mir einen Schneeball holen? Du brauchst ja nicht mal die Tür aufzuschließen!«

Ariel war schon aufgesprungen.

»Ich brauche bloß die Hand aus dem Fenster zu strecken«, sagte er. »Draußen auf der Fensterbank liegt haufenweise Schnee.«

Und dann machte er es. Er sprang auf den Schreibtisch und Cecilie konnte sehen, wie er den einen Arm durch das geschlossene Fenster streckte. Im nächsten Moment stand er mit einem kleinen Schneeball in der Hand mitten im Zimmer. Das Fenster war unversehrt.

Sie machte große Augen.

»Toll.«

»Bist du jetzt zufrieden?«

»Nicht ganz. Ich würde den Schnee gern selbst anfassen.«

»Bitte sehr«, sagte Ariel und warf den Schneeball auf Cecilies Decke. Sie nahm ihn in die Hand.

»Eiskalt«, sagte sie. »Jetzt fasse ich zum ersten Mal den Schnee dieses Jahres an.«

»›Den Schnee dieses Jahres‹«, wiederholte Ariel. »Das klingt fast wie ›Gemüse der Saison‹ oder ›Früchte des Meeres‹.«

Cecilie presste den Schneeball gegen ihre Wange. Als er anfing zu tropfen, steckte sie ihn in das Glas auf dem Nachttisch. Ariel setzte sich wieder auf den Stuhl.

»Ich habe Schnee noch nie angefasst«, sagte er und schien ein wenig zu schmollen. »Ich weiß auch, dass ich das nie machen kann. Bis in alle Ewigkeit nicht.«

»Jetzt machst du Witze. Du hast ihn doch gerade eben erst angefasst.«

»Ich habe nichts gespürt. Engel *spüren* nichts, Cecilie!«

»Hast du nicht gespürt, dass er kalt ist?«

Er machte ein resigniertes Gesicht.

»Jetzt musst du das aber langsam begreifen, sonst macht es wirklich keinen Spaß, mit dir zu reden. Einen Schneeball anzufassen ist für uns dasselbe wie einen Gedanken anzufassen. Du kannst auch nicht die Erinnerung an den Schnee vom letzten Jahr in die Hand nehmen.«

Sie schüttelte den Kopf und Ariel fragte:

»Was ist das für ein Gefühl, einen Schneeball in der Hand zu haben?«

»Kalt ... eiskalt.«

»Das hast du schon gesagt.«

Sie gab sich die allergrößte Mühe.

»Es prickelt auf der Haut. Es kitzelt wie starke Pfefferminze. Du möchtest die Hand zurückziehen und kriegst eine Gänsehaut. Aber es ist trotzdem ganz toll.«

Ariel hatte sich neugierig zu ihr vorgebeugt, als sie das sagte.

»Ich habe noch nie Pfefferminze geschmeckt«, sagte er. »Und eine Gänsehaut hatte ich auch noch nie.«

Erst jetzt begriff Cecilie, dass es für Ariel ebenso schwer war die irdischen Dinge zu verstehen, wie sie mit den himmlischen Problemen hatte. Sie sagte:

»Es muss scheußlich sein, etwas anzufassen ohne es zu spüren. Ich kenne kaum etwas Schrecklicheres als eine Betäubung beim Zahnarzt.«

»›Betäubung beim Zahnarzt‹«, wiederholte er. »Aber eine Vollnarkose ist sicher noch schlimmer. Dann merkt ihr ja nicht mal, dass ihr lebendig seid.«

Er zog sein unergründliches Gesicht. Dann fragte er:

»Kannst du den Schneeball im ganzen Körper spüren?«

Cecilie lachte.

»Nicht in den Haaren und auch nicht in den Nägeln.«

»Aber überall da, wo du Haut hast, und das ist doch fast überall. Fleisch und Blut sind in ein magisches Kostüm eingeschlossen, das euch eure gesamte Umgebung spüren lässt. Kannst du begreifen, wie es möglich ist, so etwas zu erschaffen?«

»Ein magisches Kostüm?«

»Deine Haut, Cecilie, ich meine dieses feinmaschige Gewebe aus Nervensträngen. Als Gott die Welt erschuf, hat er es so schlau angestellt, dass die Schöpfung sich selbst spüren kann. Du musst doch zugeben, dass das ganz schön clever war!«

»Vielleicht...«

»Könnt ihr an allen Stellen gleich viel spüren?«

Sie musste kurz überlegen.

»Ich bin nicht überall gleich kitzlig. An manchen Stellen tut es besonders gut, gekitzelt zu werden. Ab und zu kann es so schön sein, dass es fast wehtut. Hast du gewusst, dass etwas so schön sein kann, dass es fast wehtut?«

»›Hast du gewusst, dass etwas so schön sein kann, dass es fast wehtut?‹«

»Jetzt äffst du mich schon wieder nach.«

Ariel schüttelte seinen kahlen Kopf.

»Ich versuche nur zu verstehen, was du sagst. Kann irgendetwas auch so wehtun, dass es schon fast wieder schön ist?«

»Nein ...«

»Du musst die Frage entschuldigen. Engel wissen nämlich nicht genau, was Schmerz überhaupt bedeutet.«

»Seid ihr wirklich so gefühllos wie Erde und Steine?«

Er nickte feierlich.

»Mindestens.«

»Ich weiß nicht, was ich vorziehen würde.«

»Ein Stein zu sein oder ein Engel?«

»Ich meine, wenn ich nie irgendwelche Gefühle gehabt hätte, hätte ich auch nie Schmerzen gehabt. Vielleicht wäre es wirklich das Beste, ganz und gar betäubt zu sein.«

»Dann ist es vielleicht eher der Zahnarzt, den du nicht magst, und gar nicht die örtliche Betäubung.«

Sie nickte.

»Aber ich finde es doch ein bisschen bedenklich, dass die Engel im Himmel den Unterschied zwischen schön und schlimm nicht kennen.«

Wieder wäre es ihr beinah herausgerutscht, dass sie nicht wusste, ob sie überhaupt an Engel glaubte. Aber dann kam ihr plötzlich ein Gedanke:

»Warum hast du keine Flügel?«

Er lachte.

»Das mit den ›Engelsflügeln‹ ist nur ein alter Aberglaube aus der Zeit, als die Menschen glaubten, die Erde sei platt wie ein Pfannekuchen und die Engel flögen dauernd zwischen Himmel und Erde auf und ab. Aber so einfach ist es nun mal nicht.«

»Wie ist es denn?«

»Vögel brauchen Flügel, um sich in die Luft zu heben, denn sie sind aus Fleisch und Blut. Wir aber sind Geist, deshalb brauchen wir keine Flügel, um uns durch die Schöpfung zu bewegen.«

Sie lächelte.

»Ungefähr so wie meine Gedanken. Die brauchen auch keine Flügel, um durch die Welt zu flattern.«

Sie hatte den Satz noch nicht beendet, als Ariel vom Stuhl abhob und wie ein Ballon durch das Zimmer schwebte. Cecilie ließ ihn nicht aus den Augen.

»Spitze!«, rief sie. »Das ist doch bestimmt ein tolles Gefühl!«

Er setzte vor dem Bücherregal auf dem Boden auf.

»Ich spüre nichts.«

»Das muss ein komisches Gefühl sein. Es muss ein komisches Gefühl sein, nichts zu fühlen.«

»Aber deine Gedanken spüren das, was sie denken, doch auch nicht so, wie du den Schneeball in deiner Hand spürst.«

Wieder hob er die neuen Skier hoch und hielt sie ihr hin.

»Ist Skilaufen schön?«

Cecilie nickte.

»Bald werd ich sie ausprobieren ...«

»Aber das muss doch ein typisches ›kaltes‹ Gefühl sein, vor allem, wenn ihr in den Schnee fallt. Habt ihr dann nicht am ganzen Körper so einen Gänsehautgeschmack wie starke Pfefferminze?«

»Nicht, wenn wir warm genug angezogen sind. Dann spüren wir nur, dass der Schnee weich ist wie Watte. Manchmal nehmen wir auch die Skier ab und machen Engel im Schnee. Das ist herrlich!«

Ariel hatte die Skier wieder zurückgestellt. Er sagte:

»Das finden wir nun wirklich gut. Und es zeigt, wie eng die Menschenkinder mit den Gotteskindern im Himmel verwandt sind.«

»Zeigt es das wirklich?«

Er nickte feierlich.

»Erstens, weil ihr Engel macht. Ihr könntet doch auch etwas anderes machen. Zweitens, weil ihr euch amüsiert. Alle Engel amüsieren sich gern.«

»Glaubst du, die Erwachsenen amüsieren sich weniger gern?«

Ariel zuckte mit den Schultern.

»Hast du je einen erwachsenen Skiläufer gesehen, der die Skier abschnallt und sich in den tiefen Schnee wirft, um einen Engel zu machen?«

Sie nickte.

»Meine Großmutter hat das gemacht.«

»Da siehst du's!«

»Was?«

»Sie hat den Kontakt zum Kind in sich offenbar noch nicht verloren.«

Ariel schwebte noch einmal durchs Zimmer. Als er wieder auf dem Stuhl vor Cecilies Bett saß, sagte er:

»Tut mir Leid, es sagen zu müssen, aber wir kommen nicht so recht weiter.«

»Wieso denn?«

Er seufzte.

»Das hier ist eine seltene Begegnung zwischen Himmel und Erde. Ich könnte dir eine Menge über die himmlischen Geheimnisse erzählen, wenn du mir sagen könntest, wie es ist, aus Fleisch und Blut zu sein.«

»Es ist ein bisschen langweilig, hier nur rumzuliegen.«

Er nickte.

»Bisher war das auch nicht gerade mein witzigster Einsatz als Krankenengel.«

»Sollen wir nach unten ins Wohnzimmer gehen? Bei der Bescherung war ich auch unten.«

»›Sollen wir nach unten ins Wohnzimmer gehen?‹«, wiederholte Ariel. »Von mir aus gern. Die Weihnachtsnacht ist ja noch nicht vorbei.«

»Meinst du, du kannst mir nach unten helfen?«
»Natürlich.«
»Kannst du mich denn hochheben?«
»Ihr seid für uns ohne Gewicht, Cecilie.«
»Dann trag mich bitte nach unten.«

Ariel schob seinen Arm unter Cecilie und hob sie aus dem Bett. Es war ganz anders, als von Papa hochgehoben zu werden. Der keuchte und schnaufte dann immer wie ein Walross. Im Arm des Engels fühlte Cecilie sich leicht wie eine Feder, obwohl er doch viel kleiner war als sie selbst.

Sie schlichen sich über den Flur und dann leise die Treppe hinunter. Jetzt stand kein Zigarre rauchender Großvater in der Diele. Aber ob Großvater den Engel überhaupt gesehen hätte, wenn er noch dagestanden wäre? Oder hätte er geglaubt, Cecilie schwebte in der Luft?

Im Wohnzimmer war es fast dunkel. Nur die Lampe über dem grünen Sessel brannte noch.

»Die anderen legen mich immer aufs Sofa«, sagte Cecilie.

Er legte sie vorsichtig dort ab und Cecilie blickte auf.

»Sie haben die Lichter am Weihnachtsbaum ausgemacht! So was Blödes!«

Im nächsten Moment hatte Ariel den Stecker schon wieder in die Steckdose geschoben. Er stellte sich vor den

Baum und breitete die Arme aus. Die Lichter am Baum erfüllten das ganze Zimmer mit Weihnachtsstimmung.

»Das ging aber schnell«, sagte sie. »Du kommst mir vor wie so ein Geist aus der Lampe, der alle Wünsche erfüllt ... Ist der Baum nicht wunderschön?«

Er nickte feierlich.

»Er hat Ähnlichkeit mit den Lichtern im Himmel.«

»Wirklich? Darüber habe ich mir nämlich immer schon Gedanken gemacht. Habt ihr im Himmel auch Watte an den Lichtern?«

»Die Lichter des Himmels sind die Sterne und Planeten«, erklärte er. »Einige Planeten sind von Gasen umgeben. Meinst du nicht, dass ihr deshalb die Weihnachtskerzen mit Watte dekoriert?«

»Das habe ich mir noch nie überlegt. Aber vor jedem Weihnachtsfest streiten wir uns wie blöde, ob wir nun Watte auf dem Weihnachtsbaum haben wollen. Mama kann die Watte nicht ausstehen, Oma auch nicht, aber dieses Jahr haben sie nicht gewagt mir zu widersprechen.«

»Ihr habt jedenfalls ganz da oben im Baum einen Stern ...«

Sie blickte auf.

»Der, den wir früher hatten, war plötzlich verschwunden. Und dieser sitzt ein bisschen schief ...«

Im nächsten Augenblick schwebte der Engel Ariel oben um den Weihnachtsbaum herum. Cecilie machte große Augen. Sie hatten Papierengel an den Baum gehängt, einige waren weiß, andere golden. Und nun umkreiste ein echter Engel den Weihnachtsbaum!

»Ist er jetzt gerade?«

»Ich glaube schon ... aber komm noch nicht wieder runter. Es sieht so toll aus, wie du da oben fliegst!«

Ariel schwebte erst kurz an die Decke und blieb dann einen Meter über dem Esstisch in der Luft hängen.

»Ich wünschte, ich könnte auch fliegen«, sagte Cecilie. »Dann könnte ich vielleicht vor allem abhauen.«

Er zeigte auf eine große Schüssel voller Plätzchen und Marzipan. »Die Plätzchen haben sie nicht weggeräumt.«

»Nein, greif ruhig zu.«

Ariel kreiste dicht über der Schüssel. Er sagte:

»Das wäre wirklich lustig, wenn ich das tun könnte.«

»Aber sicher kannst du das tun! Du hast ja keine Ahnung, wie viel die gebacken haben!«

Er seufzte tief:

»Ich habe doch schon gesagt, dass Engel nichts essen. Wir *können* nicht essen.«

Er seufzte noch einmal.

»Oh ... das hatte ich vergessen.«

»Die Zeiten kommen, die Zeiten gehen, eine Generation folgt auf die andere. Und immer werden neue Tische mit vielen verschiedenen Dingen zum Essen und Trinken gedeckt. Aber die Engel im Himmel werden nie begreifen, wie es ist, von diesen irdischen Herrlichkeiten zu kosten.«

»Kannst du mir einen Zimtstern geben?«

Ariel schwebte hinab und nahm einen Zimtstern aus der Schüssel. Dann schwebte er durchs Zimmer und gab ihn Cecilie, die gleich anfing zu knabbern. Ariel schwebte über dem Sofa, auf dem sie lag.

»Es ist total lustig, euch beim Essen zuzusehen«, sagte er.

»Warum?«

»Ihr steckt etwas in den Mund und schmatzt und kaut drauflos, und was ihr kaut, schmeckt irgendwie, ehe es zu Fleisch und Blut wird.«

»Genauso ist es.«

»Wie viele verschiedene Geschmäcker gibt es?«

»Keine Ahnung. Ich glaube nicht, dass es einen zuverlässigen Geschmackskatalog gibt.«

»Und was schmeckt dir am allerbesten?«

Sie überlegte es sich gut.

»Erdbeeren vielleicht ... Erdbeeren mit Eis.«

Er verdrehte die Augen.

»Klingt ein bisschen komisch, dass ihr solche kalten Pfefferminzklumpen in den Mund steckt. Habt ihr dann nicht das Gefühl, es kitzelt, und ihr kriegt innerlich eine Gänsehaut?«

»Es klingt so geheimnisvoll, wie du es darstellst. Aber manchmal kitzelt es wirklich tief unten im Magen. Herrlich!«

Ariel schwebte noch immer über dem Sofa. Ab und zu wich er zehn oder zwanzig Zentimeter zurück, manchmal wippte er aber auch näher an sie heran.

Er zeigte auf den Esstisch.

»In der Schüssel liegen auch ein paar Erdbeeren.«

Cecilie lachte.

»Das sind nur Lasses Marzipanerdbeeren.«

»Schmecken die anders als die anderen Erdbeeren?«

»Ganz anders. Aber beides könnte auf der Liste der wunderbaren Geschmäcker stehen.«

Sie blickte in seine klugen Saphiraugen auf.

»Kannst du versuchen den Unterschied zwischen einer normalen und einer Marzipanerdbeere zu beschreiben?«

Cecilie knabberte noch immer an ihrem Zimtstern herum. Sie blickte zur Schüssel mit den Marzipanerdbeeren hinüber, holte tief Luft und sagte:

»Eine echte Gartenerdbeere schmeckt süß und säuerlich – und natürlich rot. Wenn du stattdessen eine Marzipanerdbeere isst, schmeckt sie auch rot, weil wir rote Lebensmittelfarbe benutzt haben, aber vor allem schmeckt sie nach leckerem trockenen, süßen Marzipan.«

»›Nach leckerem trockenen, süßen Marzipan …‹«

»Hast du gewusst, dass Marzipan aus Mandeln gemacht wird? Deshalb ist es süß und trocken. Mandeln sind ja trocken. Und das Süße kommt vom Puderzucker.«

Sie leckte sich ein paar Plätzchenkrümel von der Hand.

»Eigentlich habe ich auf beides keinen Appetit, jetzt, wo ich nicht gesund bin. Aber da Weihnachten ist, finde ich, dass ich die Marzipanerdbeeren wenigstens probieren muss.«

Ariel schüttelte resigniert den Kopf.

»Durch deine Beschreibung werde ich auch nicht viel schlauer. Geschmäcker und so was sind für die Engel im Himmel ein unergründliches Mysterium.«

»Aber für Gott doch nicht, er hat uns ja schließlich erschaffen.«

Ariel schwebte herunter und setzte sich auf Cecilies Beine. Er wog überhaupt nichts. Er berührte sie kaum, es kitzelte nicht mal.

»Nicht immer versteht man alles, was man erschafft, ganz genau«, sagte er.

»Warum nicht?«

»Du kannst zum Beispiel etwas auf ein Blatt Papier zeichnen. Das heißt aber längst nicht, dass du verstehst, was es für ein Gefühl ist, das zu sein, was du gezeichnet hast.«

»Das ist etwas anderes, denn das, was ich zeichne, lebt ja nicht.«

Er nickte eifrig.

»Das ist doch gerade das Seltsame!«

»Was?«

»Dass ihr lebt.«

Cecilie starrte zur Decke.

»Zumindest hast du insofern Recht, als Gott nicht begreift, wie doof es ist, Heiligabend krank zu sein ...«

Er fiel ihr ins Wort:

»Über Gott können wir immer noch reden. Zuerst wolltest du mir aber erzählen, wie es ist, ein Mensch aus Fleisch und Blut zu sein.«

»Frag mich doch einfach! Frag alles, was du wissen willst.«

»Wir haben darüber gesprochen, was es für ein Gefühl ist, etwas zu schmecken. Ebenso erstaunlich ist es, dass ihr unterschiedliche Dinge riechen könnt, ohne auch nur in die Nähe dessen zu kommen, was ihr da riecht. Was *sind* alle diese Gerüche, die in der Schöpfung herumfliegen?«

»Kannst du auch den Weihnachtsbaum riechen?«

Er seufzte verzweifelt.

»Engel haben keine Sinne, Cecilie. Das hier ist zwar nicht gerade eine Prüfung in Religion, aber du musst das jetzt bald mal lernen.«

»Entschuldige.«

»Wie riecht der Baum?«

»Grün ... und wunderbar säuerlich und nach frischer Luft ... und ein wenig herb. Aber er riecht auch süß. Ich finde, der Geruch des Weihnachtsbaumes ist die halbe Weihnachtsstimmung. Danach kommt zuerst Kümmelkohl und dann Weihrauch. An vierter Stelle kommen Opas Zigarren, obwohl die manchmal fast schon zu viel des Guten sind.«

»Könnt ihr die Lichter riechen?«

»Eigentlich nicht, nein.«

»Heißt das, du weißt es selbst nicht genau?«

»Der Baum riecht ein bisschen anders, wenn wir ihn geschmückt und die Lichter eingeschaltet haben. Bloß ein bisschen, aber dieses kleine bisschen ist sehr wichtig für die Weihnachtsstimmung.«

»Na gut. Ich glaube, mit den Gerüchen kommen wir auch nicht weiter als mit den Geschmäckern. Gibt es eigentlich auch unendlich viele verschiedene Gerüche?«

»Kann schon sein, aber ich glaube, die Menschen haben keinen besonders guten Geruchssinn. Wir können vielleicht hundert verschiedene Gerüche unterscheiden, kennen aber tausend verschiedene Geschmäcker. Hunde haben einen viel besseren Geruchssinn. Ich glaube, die kennen viele Tausend verschiedene Gerüche. Das ist ja auch kein Wunder, wenn du dir überlegst, dass das halbe Hundegesicht aus einer großen Nase besteht.«

»Du kannst das ja doch ganz gut erklären. Kannst du mir auch sagen, wie es ist, zu sehen?«

»Du siehst doch wahrscheinlich genau dasselbe wie ich.«

Ariel hob vom Sofa ab, segelte durchs Zimmer und setzte sich in den grünen Sessel. Er sah in dem großen Sessel so klein aus, als würde er drin ertrinken.

»Aber ich sehe nicht auf dieselbe Weise. Ich bin ja auch nicht aus Erde und Wasser zusammengeschustert. Ich bin eben kein Stück quicklebendiger Salzteig.«

»Und wie siehst du also?«

»Du kannst es als geistige Anwesenheit bezeichnen.«

»Aber du siehst mich doch?«

Er schüttelte den Kopf.

»Ich bin nur hier.«

»Das bin ich auch. Und die ganze Zeit können wir uns doch sehen, nicht wahr?«

Er wich aus.

»Würdest du sagen, du kannst sehen, wenn du träumst?«

»Im Traum kann ich oft sehr klar sehen.«

»Aber dann siehst du nicht mit den Augen.«

»Nein, die mache ich beim Schlafen ja zu.«

»Dann verstehst du vielleicht, dass man auf mehrere Arten sehen kann. Manche Menschen sind blind. Sie müssen ihr inneres Auge benutzen. Und mit diesem Auge siehst du auch, wenn du süße Träume träumst.«

»›Inneres Auge‹?«

Er nickte.

»Das ist etwas anderes, als wenn du mit den Augenlidern klimperst und mit den lebendigen Linsen die Natur um dich herum einfängst. Wenn du eine Zwiebel schälst oder ein Staubkorn ins Auge bekommst, dann reagiert es gereizt. Im schlimmsten Fall kann dein Gesichtssinn völlig verschwinden. Aber nichts kann das innere Auge verletzen.«

»Warum nicht?«

»Weil es nicht aus Fleisch und Blut ist.«

»Und woraus dann?«

»Aus Sinnen und Gedanken.«

»Das klingt fast ein bisschen unheimlich.«

Er hatte die Arme auf die Lehnen gelegt. Jetzt sah er in dem tiefen Sessel noch kleiner aus.

»Ich finde es viel unheimlicher, dass zwei lebendige Augen, die aus Atomen und Molekülen bestehen, alles in ihrer Umgebung sehen können«, sagte er. »Ihr könnt sogar ins All hinausblicken und etwas von der himmlischen Herrlichkeit ahnen. Aber das, womit ihr seht, sind zwei glasige Klumpen, die eng mit Fischaugen verwandt sind.«

»Klingt ziemlich mysteriös, wenn du das so ausdrückst.«

Er machte eine abwehrende Handbewegung.

»Davon wird es auch nicht mysteriöser, als es nun einmal ist. Vor vielen Millionen Jahren haben einzelne

Fische im Meer eine Art Flossen bekommen, auf denen sie gehen konnten. Und dann sind die kleinen Amphibien aufs Land gekrabbelt und haben sich nach etwas Essbarem umgesehen. Und heute könnt ihr mit denselben Augen, mit denen ihr damals keine anderen Sterne als Seesterne und Seeigel erkennen konntet, Tausende von Lichtjahren weit ins Universum blicken. Aber das ist noch nicht alles: Ihr könnt sogar auf einem roten Sofa sitzen und einem Engel des Herrn in die Augen schauen.«

Cecilie lachte.

»Stimmt, das ist ein seltsamer Gedanke.«

»Wenn Gott den Gesichtssinn nicht erschaffen hätte, hätte er seine Schöpfung nicht mit euch teilen können. Und dann würde der Garten Eden noch immer in ägyptischer Finsternis liegen.«

»›In ägyptischer Finsternis‹«, wiederholte Cecilie, weil es sich so traurig anhörte.

»Jedes einzelne Auge ist ein kleiner Zipfel des göttlichen Mysteriums«, sagte Ariel. »Der Gesichtssinn ist der Treffpunkt zwischen Dingen und Denken, er ist das Perlentor zwischen Sonne und Sinn. Das Menschenauge ist der Spiegel, wo sich der erschaffende Raum in Gottes Bewusstsein mit dem erschaffenen Raum draußen begegnet.«

Sie hob den Arm, um ihn zum Schweigen zu bringen.

»Ich glaube, das Letzte habe ich nicht verstanden.«

Und der Engel Ariel erklärte:

»Einige Engel im Himmel halten jedes einzelne Auge, das Gottes Schöpfungswerk sieht, für Gottes eigenes

Auge. Denn wer behauptet, Gott kann nicht viele Milliarden Augen haben? Vielleicht hat er Milliarden kleiner Fotozellen über seiner Schöpfung ausgestreut, um zu jeder Zeit seine eigene Schöpfung aus Milliarden verschiedenen Winkeln sehen zu können. Aber die Menschen können nicht viele Hundert Meter unter der Wasseroberfläche herumschwimmen, deshalb hat er auch den Fischen Augen gegeben. Und die Menschen können auch nicht fliegen, aber in jedem Moment liegt unter dem Himmel ein lebendiger Teppich aus Vogelaugen und blickt auf die Erde hinab. Doch das ist noch nicht alles ...«

»Erzähl weiter!«

»Es kommt vor, dass ein Mensch seine Augen zu seinem himmlischen Ursprung erhebt. Und das ist dann so, als ob Gott sich selbst im Spiegel erblickte.«

Cecilie schnappte nach Luft.

»Himmel und Erde!«, rief sie.

»Wie Himmel und Erde, ja.«

»Was denn?«

»Der Himmel spiegelt sich im Meer. Und genauso kann Gott sich in zwei Menschenaugen spiegeln. Denn das Auge ist der Spiegel der Seele und Gott kann sich in der Menschenseele spiegeln.«

Sie war tief beeindruckt:

»Du hättest Pastor werden sollen, wenn das nicht alles eine Irrlehre ist.«

Er lächelte schelmisch.

»Wir nehmen so was im Himmel nicht so genau. Dort wissen wir seit jeher, dass die Schöpfung ein großes

Rätsel ist, und wenn etwas ein Rätsel ist, dann ist Raten erlaubt.«

Sie zog die Schultern hoch.

»Wenn du so feierlich wirst, läuft es mir jedes Mal kalt den Rücken runter. Vielleicht habe ich auch Fieber. Müssen wir wirklich noch mehr über die Sinne reden?«

»Es sind doch nur noch zwei übrig. Magst du Gesang und Musik?«

»Im Moment höre ich am liebsten Weihnachtslieder von Sissel Kyrkjebø. Ehe ich dich kennen gelernt habe, fand ich immer, sie sieht wie ein Engel aus. Aber jetzt weiß ich ja, ihre ›Engelhaare‹ beweisen nur, dass auch sie von den Affen abstammt. Manche Leute sagen übrigens, ich hätte Ähnlichkeit mit ihr.«

»Ah ja.«

»Wie meinst du das?«

»Ich kann die Ähnlichkeit sehen.«

»Hast du denn Sissel Kyrkjebø schon mal gesehen?«

»Lässt sich ja fast nicht vermeiden.«

»Von welchem Sinn sprechen wir eigentlich jetzt?«

Ariel lachte.

»Es macht wirklich Spaß, mit dir zu reden, Cecilie! Ich frage dich, ob du Musik magst, damit du mir erzählst, was es für ein Gefühl ist, etwas zu hören. Für die Engel im Himmel ist es nämlich ganz unbegreiflich, dass Fleisch und Blut über diese Fähigkeit verfügen.«

»Wieso ist das unbegreiflich?«

»Hältst du es denn nicht für ein kleines Geheimnis, dass die Vögel dermaßen draufloszwitschern, dass andere Vögel den Gesang noch über viele Kilometer Entfernung hören können? Diese kleinen Wuschel sind quicklebendige Flöten, die unablässig auf sich selber spielen. Und fast genauso verwunderlich ist es, dass alles, was ich jetzt sage, dich erreicht.«

»Ich finde, jetzt übertreibst du den Unterschied zwischen euch und uns wieder. Du kannst doch auch hören, was ich sage.«

Ariel stieß einen lauten Seufzer aus.

»Wenn du uns noch ein einziges Mal vergleichst, nur, um dir die Sache leichter zu machen, besuche ich lieber eine andere Patientin. Es gibt sehr viele kranke Menschen, zu denen kein einziger Engel kommt.«

Cecilie sagte schnell:

»Du willst sicher sagen, du hörst nicht mit lebendigen Ohren, so wie ich, sondern unsere Gedanken vermischen sich gewissermaßen ...«

»So ungefähr. Entschuldige übrigens, dass ich das mit der anderen Patientin gesagt habe. Es ist ja nicht deine Schuld, dass du nur Bruchstücke verstehst. Du siehst alles durch einen Spiegel, in einem dunklen Wort ...«

»›Durch einen Spiegel, in einem dunklen Wort ...‹«

»Jetzt hast du mich nachgeäfft!«, sagte er.

»Ich wollte bloß wissen, wie die Wörter schmecken!«

»Einst war die Erde öd und leer«, erklärte Ariel. »Dann erhielt sie die Fähigkeit, ihre eigenen Geräusche zu hören. Seit vielen Jahrmillionen hatte es geblitzt und gedonnert, das Meer war gegen die Felsen geschwappt, die Vulkane hatten mit gewaltiger Wucht ihre Lavaströme aus sich herausgeschleudert. Aber niemand hatte auch nur das Geringste gehört. Heute kann dieser Planet seine eigenen Geräusche hören. Die Venus oder der Mars können das nicht. Und wenn es zu still sein sollte, könnt ihr einfach ein Orgelkonzert von Johann Sebastian Bach auflegen. Ich mag die großen Konzerte unter freiem Himmel am liebsten. Dann brausen die allerschönsten Klänge dieses Planeten ins Himmelsgewölbe hinaus. Und dann sind da noch die Konzerte im Radio. Der Erdball klingt ganz von selbst. Um eine glühende Sonne in der Milchstraße wirbelt eine kleine Spieldose als Erdball herum.«

»Vielleicht hättest du lieber Dichter werden sollen«, schlug Cecilie vor. »Wenn du dafür nicht zu unmodern bist.«

»Dann wäre ich lieber Naturforscher. Ich verstehe nämlich nicht so recht, was da passiert, wenn ihr miteinander redet und die unsichtbaren Wörter aus einem Mund kriechen und dann durch ein enges Ohr krabbeln, ehe sie schließlich mit einem geleeartigen Gehirnklumpen verschmelzen.«

Genau das, was der Engel beschrieben hatte, geschah jetzt. Seine seltsamen Worte verschmolzen mit Cecilies Gehirn und wurden zu ihren eigenen Gedanken. Sie dachte so lange darüber nach, dass Ariel wieder das Wort ergriff.

»Ebenso erstaunlich ist es, dass ihr die Wörter im Mund formen könnt. Manchmal geht das rasend schnell. Dann scheinen die Wörter nur so aus euch herauszuströmen. Kommt es auch vor, dass ihr erst hinterher richtig begreift, was ihr gesagt habt?«

Sie senkte den Blick.

»Wir überlegen uns nicht immer alles, was wir tun. Wenn ich mich beeilen muss, um rechtzeitig in der Schule zu sein, renne ich einfach. Dann habe ich keine Zeit, mir zu überlegen, wie ich die Beine bewegen soll. Da würde ich wahrscheinlich bloß stolpern. So ist es auch manchmal beim Reden. Manchmal stolpern wir über unsere Wörter.«

»Und ihr müsst die ganze Zeit Luft holen und sie wieder ausatmen. Geht das auch von selbst?«

»Ich glaube schon.«

»Das klingt ein bisschen unheimlich. Denn wenn ihr plötzlich mal vergesst Luft zu holen, hört euer Herz auf zu schlagen. Und wenn das Herz aufhört zu schlagen ...«

»Hör auf!«, fiel Cecilie ihm ins Wort. »Zum Glück müssen wir nicht über alles nachdenken.«

Er schlug sich die Hand vor den Mund.

»Tut mir Leid! Wir haben darüber gesprochen, wie ihr die unsichtbaren Wörter im Mund formt, ehe sie anfangen zwischen Mund und Ohren herumzuflattern. Stimmt es, dass alle Menschen unterschiedliche Stimmen haben?«

Cecilie nickte.

»Wenn Mama sagt: ›Hast du gut geschlafen?‹, hört sich das ganz anders an als bei Papa oder bei Oma. Ich kann den Kopf unter die Decke stecken und doch genau hören, wer mit mir spricht. Und bei jedem Menschen klingt noch das kleinste Wörtchen ein bisschen anders. Das gilt übrigens auch für Musikinstrumente. Auf einer

Klarinette klingt ein eingestrichenes C anders als auf einer Geige. Und ich habe gelesen, dass keine zwei Geigen sich jemals ganz genau gleich anhören. Dasselbe gilt auch für unsere Stimmen.«

»Das zeigt, was Stimme und Ohren für feine Instrumente sind.«

»Selbst bei geschlossenem Fenster kann ich den Wind draußen hören; und ich höre, wenn der Postbote über den Weg geradelt kommt. Du hättest ihn übrigens sehen sollen, als er vom Rad gefallen ist ...«

»Ich habe genauso wie du am Fenster gesessen.«

»Du bist ja offenbar überall, du ... Wenn es im Haus ganz still ist, kann ich manchmal sogar hören, wie es schneit.«

Sie streckte einen Arm aus.

»Und ich kann mit den Ohren *sehen*!«

»Unfug!«

Der Engel Ariel verzog das Gesicht.

»Wir sprechen zwar über höchst erstaunliche Dinge, aber deshalb brauchst du mich noch lange nicht zum Narren zu halten.«

»Aber es ist wirklich so. Wenn ich in meinem Zimmer liege und von unten ein Geräusch höre, kann ich vor mir sehen, was sie gerade machen und wie unten alles aussieht.«

»Dann siehst du das ein bisschen so, wie Engel sehen.«

Sie zog sich an der Sofakante hoch.

»Ich meine ja schon die ganze Zeit, dass du den Unterschied zwischen Engeln und Menschen übertreibst.«

»Das ist umso erstaunlicher, wenn wir unseren unterschiedlichen Hintergrund bedenken. Ihr steckt auf einem zufälligen Planeten im All und seid aus einigen Millionen Molekülen zusammengeschustert. Und ihr seid nur kurze Zeit hier. Aber ihr trippelt auf leichten Füßen durch die Schöpfung. Ihr redet und lacht und denkt schlaue Gedanken, genau wie die Engel im Himmel.«

»Findest du es nicht genauso geheimnisvoll, ein Engel zu sein?«

»Darüber haben wir doch schon gesprochen. Der Unterschied ist, dass wir immer schon hier waren. Und wir wissen, dass wir nie ins leere Nichts stürzen werden wie eine geplatzte Seifenblase. Wir *sind* einfach, Cecilie. Wir sind das, was wir immer gewesen sind und immer bleiben werden. Ihr kommt und geht …«

Sie seufzte tief.

»Ich wünschte, ich hätte mir öfter überlegt, wie es ist zu leben.«

»Dazu ist es ja nie zu spät.«

»Ich weiß nicht so recht, warum, aber plötzlich bin ich ganz traurig …«

Er fiel ihr ins Wort.

»Lass das! Dann müsste ich dich ja trösten und mich sonst wie anstellen. Manchmal habe ich das Gefühl, bei euch wird nur gequengelt und gejammert.«

»Du hast gut reden!«

»Jetzt ist nur noch ein Sinn übrig. Der ist ein wenig vager, aber deshalb ist er noch lange nicht weniger rätselhaft.«

Sie wischte sich eine Träne ab.

»Mir fällt nicht ein, wie der fünfte Sinn heißt … Gefühl?«

Ariel nickte.

»Wir haben ja schon über den dünnen Mantel aus Haut und Haaren gesprochen, in den Fleisch und Blut von Kopf bis Fuß eingekapselt sind. Was ihr esst, schmeckt ihr mit der Zunge. Aber ihr könnt im Grunde ja mit dem ganzen Körper schmecken. Ihr schmeckt, ob etwas kalt oder warm, nass oder trocken, glatt oder rau ist …«

»Ich finde das gar nicht so seltsam.«

»Für einen Engel ist das vielleicht das Allerseltsamste überhaupt. Die Steine am Strand können nicht fühlen, dass sie sich aneinander reiben, wenn die Wellen ans Ufer schlagen. Ein Stein spürt auch nicht, dass du ihn anfasst. Aber du kannst den Stein fühlen.«

»Hast du dir eigentlich schon meine Steinsammlung richtig angesehen? Einige Steine habe ich gekauft, andere geschenkt bekommen, aber die meisten habe ich gefunden. An einem ›unbekannten Strand‹.«

»Auf Kreta, meinst du.«

Sie kam sich fast verraten vor.

»Auch das hast du schon gewusst?«

Er nickte.

»Ich habe mir deine Steine oft angeschaut, wenn du schliefst. Aber ich werde nie begreifen, was es für ein Gefühl ist, sie anzufassen.«

»Dann verpasst du etwas sehr Wichtiges. Einige Steine sind so glatt und rund, dass ich loslachen möchte.«

Ariel hob von dem grünen Sessel ab und schwebte zur Decke. Dabei sagte er:

»Jetzt haben wir über alle fünf Sinne gesprochen...«

Cecilie unterbrach ihn.

»Aber es gibt noch einen sechsten Sinn.«

»Ja?«

»Manche Leute behaupten einen Sinn zu haben, der ihnen Dinge mitteilt, die sie mit den fünf üblichen Sinnen nicht erfassen können. Sie können zum Beispiel erraten, was in der Zukunft passieren wird. Oder sie wissen, wo jemand etwas verloren hat. Andere halten das für puren Aberglauben.«

Ariel nickte geheimnisvoll.

»Vielleicht hilft uns dieser Sinn ja eines Tages, den alten Weihnachtsstern wiederzufinden.«

»Weißt du denn, wo er ist?«

»Wir werden sehen.«

Cecilie dachte über Weihnachten nach. Sie sagte:

»Ich frage mich, ob nicht auch die eigentliche Weihnachtsstimmung etwas mit diesem sechsten Sinn zu tun hat. Vielleicht haben wir zu Weihnachten größere Ähnlichkeit mit den Engeln als sonst im Jahr. Auf jeden Fall hat Weihnachten mit allen anderen Sinnen zu tun. Ich kann Weihnachten riechen, ich kann es schmecken, und ich kann es sehen und hören. Aber ich kann auch alle Pakete in die Hand nehmen und raten, was drinsteckt.«

Ariels Gesicht leuchtete auf.

»›Was drinsteckt‹, genau. Auch darüber möchte ich gern mit dir reden.«

»Über das, was in den Weihnachtspaketen steckt?«

»Nein, über das, was in dir drinsteckt.«

»Igitt, das hört sich ja scheußlich an.«

»Das ist komisch!«

»Was?«

»Dass ihr es scheußlich findet, über das zu reden, woraus ihr besteht. Stell dir einen Stein vor, der den Gedanken, ein Stein zu sein, nicht ertragen könnte. Dann wäre er ein sehr unglücklicher Stein, denn dann müsste er viele Jahrtausende hindurch mit seiner Selbstverachtung leben, ehe er sich langsam auflöste und zu Kies und Sand würde. Aber ihr haltet ja nicht so lange ...«

»Also sprechen wir über das, was in uns drinsteckt. Aber nur unter einer Bedingung.«

»Und die wäre?«

»Dass du versprichst, danach viele wunderbare Dinge über den Himmel zu erzählen.«

»Engel halten ihre Abmachungen.«

»Sonst würde ich auch den Glauben an alles verlieren.«

»Du kannst mir vielleicht etwas erklären, worüber wir im Himmel immer wieder diskutieren und worüber wir sehr unterschiedlicher Meinung sind. Es ist ein etwas peinliches Thema, aber ...«

»Also los, frag schon!«

Er holte Luft.

»Könnt ihr spüren, dass das Blut durch eure Adern fließt?«

»Nur wenn wir bluten oder wenn uns beim Arzt Blut abgenommen wird. Aber dann quillt das Blut ja heraus ...«

»Und was ist das für ein Gefühl?«

»Manchmal kitzelt es einfach nur, manchmal brennt es auch nachher.«

»Aber ihr spürt doch sicher das Fleisch und das Blut in euch.«

Sie schüttelte den Kopf.

»Ich glaube, wir sind so eingerichtet, dass wir das, was unter unserer Haut steckt, nicht spüren müssen. Die Haut sorgt dafür, dass wir andere fühlen können, aber zum Glück bleibt es uns erspart, uns selbst zu fühlen.«

»Aber *etwas* müsst ihr doch spüren!«

Sie dachte kurz nach, dann schüttelte sie den Kopf.

»Überhaupt nichts, solange wir gesund sind. Nur, wenn etwas wehtut ...«

»Wenn etwas wehtut?«

»Wenn es sticht ... oder hämmert ... oder brennt.«

Er breitete resigniert die Arme aus.

»›Sticht oder hämmert oder brennt ...‹«

Cecilie fragte:

»Hast du noch nie versucht dich in den Arm zu kneifen?«

»Nein, nie.«

»Das solltest du mal versuchen, sonst weißt du ja gar nicht, ob du wach bist!«

Ariel versuchte sich in den Arm zu kneifen, aber Cecilie sah, dass er seine Haut nicht zu packen bekam. Er schüttelte den Kopf.

»Engel können sich nicht in den Arm kneifen«, gab er zu. »Wir spüren nichts.«

Sie fuhr zusammen.

»Dann kannst du ja gar nicht wissen, ob du wirklich bist!«

Für eine Sekunde – oder vielleicht für einen noch kürzeren Moment – schien Ariel verschwunden zu sein. Vielleicht hatte aber auch nur Cecilie mit den Augen gezwinkert.

Als er wieder da war, sagte er:

»Jetzt müssen wir dich schnell in dein Bett zurückschaffen.«

»Warum?«

»Sieben Uhr. In wenigen Sekunden klingelt der Wecker. Jetzt ...«

Cecilie erwachte und sie fühlte sich wie gerädert. Draußen war es so hell und klar, wie nur ein Weihnachtstag sein kann.

Sie hatte bloß eine vage Erinnerung an ihre nächtlichen Ausschweifungen. Ariel hatte sie ins Wohnzimmer hinuntergetragen. Und als der Wecker im Schlafzimmer ihrer Eltern klingelte, hatte er sie wieder nach oben gebracht.

»Ariel!«, flüsterte sie.

Doch sie bekam keine Antwort. Vielleicht kam er ja nur nachts ...

Sie griff zur Glocke auf dem Nachttisch und klingelte. Ihre Mutter kam so schnell, wie Ariel die Lichter am Weihnachtsbaum eingeschaltet hatte. Auch sie kam Cecilie fast vor wie ein Geist aus der Lampe.

»Jetzt bist du also endlich wach!«

Cecilies Mutter kniete vor dem Bett.

»Es ist fast eins. Hast du die ganze Zeit geschlafen?«

Cecilie schüttelte den Kopf.

»Und was hast du gemacht?«

»Ich habe einfach nur zugehört. In einem Haus gibt

es auch nachts Geräusche, wenn man bloß genügend die Ohren spitzt. Manchmal kann ich hören, wie es draußen schneit.« »Und was hast du gesehen?«

»Es kommt so ein schönes Licht durchs Fenster ...«

»Du hättest doch einfach klingeln können.«

»Ich habe über alles Mögliche nachgedacht.«

»Hattest du denn Schmerzen?«

»Nein ... jetzt vielleicht ein bisschen.«

»Und wie fühlen sie sich an?«

»Fängst du auch schon damit an?«

»Womit?«

»Ach, nichts. Ich bin schrecklich schlapp ...«

»Als ich gegen sieben bei dir reingeschaut hab, schliefst du jedenfalls wie ein Stein.«

»Steine schlafen nicht, Mama.«

»Und du hast im Schlaf gelächelt.«

»Steine können auch nicht lächeln ... und außerdem, als du hier warst, war ich gerade erst eingeschlafen.«

»Glaubst du wirklich?«

»Ich habe den Wecker klingeln hören.«

Cecilies Mutter legte ihr eine Hand auf die Stirn.

»Kristine ist da. Sie sitzt gerade unten im Wohnzimmer und probiert Lasses Marzipan.«

»Wohl bekomm's.«

»Wie meinst du das?«

»Ich habe keine Lust auf Marzipan. Bist du denn plötzlich total senil geworden?«

»Ich hoffe nicht.«

»Schick sie doch einfach hoch. Ich habe keine Angst mehr vor Spritzen.«

»Erst müssen wir wohl mal kurz ins Badezimmer.«

»Aber, Mama ...«

»Ja?«

»Kann Kristine mir nicht einfach die Spritze geben, und fertig?«

»Ja, sicher.«

»Sie redet immer so viel darüber, wie es mir geht und wie alles heißt und so. Und ich habe das alles so satt. Es ist doch der erste Weihnachtstag.«

»Aber vielleicht muss sie dich ein bisschen untersuchen.«

»Wenigstens musst du dabei sein. Und wenn sie anfängt mich zu trösten oder große Worte zu machen, setzt du sie vor die Tür, versprich mir das! Ich weiß ja doch nicht, was ich ihr antworten soll.«

»Ich will's versuchen.«

»Und, Mama, ich werde ganz bestimmt wieder gesund. Das verspreche ich dir.«

»Ja, das wirst du.«

»Aber nur ich darf sagen, dass ich bald wieder gesund werde. Wenn ihr das sagt, habe ich das Gefühl, ihr wollt mich quälen.«

»Scherzkeks!«

Cecilie blickte auf.

»Du weinst doch nicht etwa?«

Mama wischte sich die Augen.

»Nein, das nicht ...«

»Du hast jedenfalls Tränen in den Augen.«

»Ach, ich hab vorhin bloß Zwiebeln geschnitten.«

»Schon wieder?«

Nachdem Cecilie ihre Medikamente bekommen und gegessen hatte, besuchte die ganze Familie sie der Reihe nach. Lasse hatte seine Jetskier an der Böschung unten beim Fluss ausprobiert. Der ganze Fluss war zugefroren, er hatte das Wasser unter dem Eis nicht mal plätschern hören. Einige Jungs aus der fünften und sechsten Klasse waren an der breitesten Stelle auf dem Fluss Schlittschuh gelaufen.

Cecilies Vater brachte eine neue Nummer der »Illustrierten Wissenschaft«. Er hatte ihr schon einen ganzen Stapel davon geschenkt. Als Erstes hatte er ihr eine Nummer mit einem Artikel über Mineralien und Halbedelsteine gegeben: »Warum die Berge die Schatzkammern der Erde sind«. Sie hatte auch einige andere Artikel gelesen und dann um weiteren Lesestoff gebeten. Das war lange her. Cecilie schaffte es nicht mehr, lange am Stück zu lesen.

Großvater wollte über die Ferien auf Kreta sprechen. Sie waren allesamt dort gewesen, auch Oma und Opa. Damals hatten sie gerade erfahren, dass Cecilie krank war. Sie war schon zum ersten Arzt gegangen …

Es war ein »Traumurlaub« gewesen, da war sich die ganze Familie einig. Vierzehn wunderbare Tage hatten sie in der Sonne, am Strand und in aufregenden Restaurants mit lustigen Kellnern verbracht. Und während der ganzen Zeit hatten andere zur Schule oder zur Arbeit gehen müssen. Eines Tages hatten sie die Vulkaninsel Santorini besucht. Sie waren mit dem Schiff in den großen Krater gefahren, der vor 3500 Jahren entstanden war, als bei einem Vulkanausbruch die halbe Insel unterging. Um die Stadt Thera zu erreichen, hatten sie auf Maultieren den steilsten Weg hinaufreiten müssen, den Cecilie je gesehen hatte. Und dann hatten sie an einem Lavastrand gebadet, wo der Sand pechschwarz und außerdem durch die brennende Sonne feuerheiß war.

An manchen Nachmittagen war die Familie über den langen Kieselstrand gewandert und hatte nach schönen Steinen gesucht und sich dabei vor den starken Wellen hüten müssen, die die Steine zwischen ihren Füßen kullern, rollen und kugeln ließen. Cecilie war die Richterin gewesen. Nur sie durfte entscheiden, welcher Stein schön genug war, um einen Platz im Reisegepäck zu verdienen. Sie hatten mehrere Kilo mitgenommen. Und jetzt wollte Großvater hören, dass er den allerschönsten Stein gefunden hätte.

»Das waren wirklich schöne Tage, Cecilie ...«

Die Traumreise nach Kreta hatte Ende September stattgefunden. So lange war Cecilie schon nicht mehr ganz gesund. Aber sie war bis Anfang November zur Schule gegangen. Danach hatte sie einige Wochen im Krankenhaus gelegen. Später war ihr Lehrer zweimal gekommen, um zu erzählen, was gerade in der Schule durchgenommen wurde.

Als Letzte setzte sich Großmutter zu ihr. Schon als Cecilie noch ganz klein gewesen war, hatte Großmutter ihr Geschichten erzählt. Aber das waren niemals die normalen Märchen gewesen. Sie erzählte von den alten Göttern, an die die Wikinger geglaubt hatten. Manchmal hatte sie aus Snorres Götterlehre vorgelesen und die Geschichten waren so spannend gewesen wie Märchen.

Zuletzt hatte sie aus einer Kinderbibel vorgelesen, die Cecilies Mutter schon als kleines Kind gehabt hatte. So alt war die Bibel!

Heute erzählte sie über Odins Raben. Die hießen Hugin und Munin und konnten durch die ganze Welt fliegen, um alles im Auge zu haben. »Hugin« bedeutet »Gedanke«, und »Munin« bedeutet »Sinn«. Abends kehrten die beiden Raben zu Odin zurück und erzählten ihm, was sie gesehen hatten. Auf diese Weise wusste Odin über alle Ereignisse auf der Welt Bescheid. Aber er hatte auch Angst, sie könnten eines Tages nicht mehr zurückkommen. Die Raben waren außerdem Aasvögel, die Odin halfen Tote aufzuspüren. Odin saß in Asgard auf einem Hochsitz namens Lidskjalv. Er war nicht nur der weiseste unter den Göttern. Er war auch der schwermütigste, denn nur Odin wusste von der Götterdämmerung, dem großen Untergang, der näher rückte.

Großmutter erzählte sehr viel über Odin und seine beiden Raben. Später an diesem Nachmittag schlief Cecilie ein. Zuerst döste sie eine Weile vor sich hin, dann kam der richtige Schlaf. Als sie aufwachte, hörte sie, dass die anderen unten beim Abendbrot saßen. Sie hatten gerade erst angefangen, denn Cecilie hörte ihre Mutter sagen: »Ich reiche die Suppe einfach herum. Wir machen heut keine Umstände ...«

Am ersten Weihnachtstag gab es immer zuerst Blumenkohlsuppe, dann Rinderbraten.

Cecilie zog ihr chinesisches Notizbuch unter dem Bett vor und blätterte darin herum. Vor einigen Wochen hatte sie von Großmutter eine wunderschöne Perlenkette bekommen, ein altes Erbstück. Damals hatte sie in ihr Tagebuch geschrieben:

Wenn ich sterbe, reißt eine Silberschnur mit glatten Perlen, die durch das Land rollen und zu den Muschelmüttern auf dem Meeresgrund zurückkehren. Wer wird nach meinen Perlen tauchen, wenn ich nicht mehr da bin? Wer wird wissen, dass sie mir gehört haben? Wer wird erraten können, dass einmal die ganze Welt um meinen Hals gehangen hat?

Sie knabberte an ihrem Filzstift und dachte daran, worüber sie nachts mit dem Engel Ariel gesprochen hatte. Sie versuchte sich an so viel wie möglich zu erinnern, um es dann nach und nach in ihr Tagebuch einzutragen:

Die Engel im Himmel können niemals zerbrechen. Sie haben nämlich keinen Körper aus Fleisch und Blut, von dem sich ihre Seele trennen kann. So geht es in der Schöpfung nicht zu. Hier kann alles ganz leicht kaputtgehen. Sogar ein Berg wird langsam abgeschliffen und schließlich zu Erde und Sand. Alles in der Natur ist wie ein langsamer Brand. Die ganze Schöpfung scheint gewissermaßen im Moos zu schwelen.

Nicht immer begreift man voll und ganz das, was man erschaffen hat. Ich kann zum Beispiel etwas auf ein Blatt Papier zeichnen. Das heißt aber nicht, dass ich verstehe, was es für ein Gefühl ist, von mir gezeichnet worden zu sein. Was ich zeichne, ist ja nicht lebendig. Und das ist doch gerade so seltsam: dass ich lebendig bin!

Als ihr nichts mehr einfiel, legte Cecilie das Buch auf den Boden und schob es unters Bett.

Danach war sie wohl wieder eingeschlafen, denn als sie wach wurde, hörte sie neben sich eine Stimme:

»Hast du gut geschlafen?«

Es war der Engel Ariel. Cecilie blickte auf. Er kniete am Fußende des Betts.

»Ich war die ganze Zeit hier«, versicherte er.

»Aber ich habe dich nicht gesehen.«

Er zögerte, ehe er antwortete.

»Ich habe vielleicht nicht erzählt, dass es zwei verschiedene Formen von Engelsbesuch gibt. In der Regel sitzen wir einfach nur bei euch ohne uns zu erkennen zu geben. Doch ganz selten offenbaren wir uns, so wie jetzt.«

»Aber beide Male seid ihr als Schutzengel hier?«

»Beide Male, ja.«

»Und als du bei dem kranken Jungen in Deutschland warst?«

»Da war ich einfach nur da.«

»Ich begreife noch nicht ganz, wie du hier im Zimmer sein kannst, ohne dass ich dich sehen kann.«

»Das ist nicht so schwer zu erklären.«

»Schieß los!«

»Wenn du träumst, dass du an einem fremden Strand bist, kannst du dann nicht nachher behaupten, in gewisser Hinsicht an diesem Strand gewesen zu sein?«

»Irgendwie schon …«

»Aber haben dich die Menschen, die an diesem Strand waren, gesehen?«

»Nein, natürlich nicht.«

»Du könntest aber auch mit Tjæreborg-Reisen hinfahren und am Strand baden. Dann würden die Menschen dich sehen, weil du dich offenbart hättest.«

Sie blickte in die blaugrünen Saphiraugen hoch.

»Schlauer Vergleich … und übrigens hast du mich wirklich nur mit knapper Not ins Bett geschafft, ehe Mama aufgewacht ist.«

»Ja, das war wirklich um Haaresbreite.«

»Wenn wir es nicht geschafft hätten, hätte sie einen Schock gekriegt. Vielleicht hätte sie gedacht, ich wär wieder gesund. ›Nein, wie schön, Cecilie! Dass du plötzlich wieder völlig gesund bist!‹«

Ariel lachte.

»Ich finde es seltsam, dir beim Schlafen zuzusehen.«

»Schlafen Engel denn nie?«

Er schüttelte den Kopf.

»Wir begreifen auch nicht, was Schlaf bedeutet. Verstehst du das?«

»Eigentlich nicht …«

»Aber du hast dir sicher schon überlegt, was in dem Moment in deinem Kopf vorgeht, wenn du einschläfst.«

Sie zuckte mit den Schultern.

»Ich bin einfach weg.«

»Ich begreife nicht, woher du den Mut nimmst.«

»Wieso nicht?«

»Du kannst doch nicht wissen, ob du wieder aufwachst ... Kannst du nicht wenigstens versuchen mir zu beschreiben, wie Einschlafen geht?«

Cecilie seufzte leise.

»Wenn wir einschlafen, sind wir doch nicht wach. Das heißt, wir befinden uns im Grenzland. Deshalb weiß niemand genau, wie Einschlafen geht.«

»Unbegreiflich, denn dazu muss doch im Kopf eine kleine Revolution passieren!«

»Aber wenn sie geschieht, sind wir schon eingeschlafen. Wir können einfach nicht denken: ›Jetzt schlafe ich ein‹. Denn dann ist es bereits zu spät zum Denken. Der Kopf ist ungefähr so wie eine Maschine, die sich plötzlich selbst abschaltet.«

»Aber wenn sie sich abgeschaltet hat, dann hat sie auch keinen Strom mehr, und wie kann sie sich ein paar Stunden später dann wieder einschalten?«

»Du stellst vielleicht schwierige Fragen. Wir schlafen einfach ein und einige Stunden später wachen wir wieder auf. Mein Vater hat sogar einen inneren Wecker. Er wacht jeden Morgen Punkt fünf vor sieben auf. Dann steht er auf und stellt den Wecker ab, der fünf Minuten später geklingelt hätte. Aber sonntags schläft er viel länger und dann wird er nicht mal vom Wecker wach.«

Der Engel Ariel breitete die Arme aus.

»Ich glaube, wir reden über das größte Mysterium im ganzen Himmelsraum.«

»Das hast du schon oft gesagt.«

»Aber ich meine nicht nur, was mit dem Schlaf zu tun hat.«

»Was denn?«

Cecilie setzte sich im Bett auf und sah Ariel tief in die Augen.

»Ihr seid auf einem kleinen Planeten im Weltraum aus Atomen und Molekülen erschaffen worden. Dort bekommt ihr Haut und Haare und fünf oder sechs Sinne, die euch ermöglichen die Welt um euch herum zu erleben. Aber in dieser harten Schale, die aus etwas besteht, das an Gips oder Kalkstein erinnert, habt ihr auch ein weiches Gehirn, das euch die Fähigkeit verleiht, zu schlafen und zu träumen, zu denken und euch zu erinnern.«

Sie blickte zur Perlenkette hinüber, die an dem griechischen Katzenkalender hing.

»Ich habe doch gesagt, dass ich nicht gern über das spreche, was in meinem Körper ist«, sagte sie.

»Wir müssen aber über die *Seele* sprechen, Cecilie. Vielleicht steckt auch die im Körper und trotzdem ist sie dann kein Körperteil wie Herz oder Nieren.«

Sie richtete ihren Blick wieder auf ihn.

»Dann sprich auch über die Seele und nicht über Herz und Nieren.«

»Das Allerrätselhafteste ist das, was ihr ›Gedächtnis‹ nennt. Du kannst zum Beispiel einen Menschen wieder erkennen, den du vor langer, langer Zeit mal gesehen hast. Wenn dir in einer großen Stadt der lustige Kellner begegnete, der dich die ganze Zeit an den Haaren ziehen wollte, dann würdest du ihn sofort erkennen, selbst auf einem Platz mit vielen Hundert anderen Menschen.«

»Warst du etwa auch mit auf Kreta?«

Er nickte.

»Ob du im Wohnzimmer oder auf Kreta bist, spielt für mich keine Rolle. Du würdest ihn wieder erkennen, nicht wahr?«

»Ich kann mich sehr gut an ihn erinnern.«

Er hatte es sich jetzt gemütlich gemacht.

»Was ist das für ein Gefühl in deinem Kopf, wenn du dich an etwas ›erinnerst‹? Was passiert mit den vielen Molekülen in deinem Gehirn? Glaubst du, sie hüpfen plötzlich los und gruppieren sich genauso wie damals, als du das erlebt hast, was dir jetzt wieder einfällt?«

Cecilie riss verblüfft den Mund auf.

»So habe ich mir das noch nie überlegt.«

Er war jetzt ein wenig ungeduldig.

»Glaubst du, dass sich die Steine an einem Kieselstrand erinnern können, wie dieser Strand vor zwei Minuten ausgesehen hat?«

»Nein! Niemand vergisst schneller als die Steine an einem Strand. Übrigens können sich Steine an überhaupt nichts erinnern.«

»Aber die Atome und Moleküle in deinem Kopf können sich an Dinge ›erinnern‹, die vor vielen, vielen Jahren passiert sind, obwohl seither haufenweise neue Gedanken und Erinnerungen über sie hinweggeschwappt sind. Sind Gedanken oder Erinnerungen nicht so etwas wie Muster aus kleinen Steinen am Strand des Bewusstseins?«

Cecilie wand sich.

»Du kannst dich doch auch erinnern. Du hast gesagt, du könntest dich noch erinnern, dass mein Großvater Lungenentzündung hatte …«

»Das schon, aber ich habe keine Seele, die aus einigen Hunderttausend Atomen und Molekülen zusammengenäht ist.«

»Woraus besteht dann deine Seele?«

»Die ist aus Gottes Sinn entsprungen.«

Cecilie überlegte sich das genau. Dann sagte sie:

»Meine Seele vielleicht auch. Obwohl sie aus Atomen und Molekülen besteht, ist sie vielleicht auch aus Gottes Sinn entsprungen.«

Er wehrte ab:

»Und wenn schon, jetzt ist nicht die Rede vom Himmel.«

»Du hast versprochen vom Himmel zu erzählen.«

»Der Himmel kann warten, Cecilie. Wenn wir über die Menschenseele sprechen, sprechen wir dabei über etwas, das dem Himmel sehr nahe steht.«

Cecilie blickte zur Decke hoch.

»Großmutter sagt, die Seele ist göttlich.«

»Offenbar hast du wirklich eine sehr kluge Großmutter.«

»Sie kann sowohl die Bibel als auch Snorre fast auswendig.«

»Genau! Da haben wir's wieder!«

»Was?«

»Dass sie etwas ›auswendig‹ kann, gehört mit zu dem großen Rätsel, über das wir hier reden. Hast du dir schon mal überlegt, dass das menschliche Gehirn der geheimnisvollste Stoff im ganzen Weltraum ist?«

»Eigentlich nicht ...«

»Alle Atome, aus denen dein Gehirn besteht, sind

irgendwann einmal in einem Stern entstanden. Aber dann haben sie sich auf seltsame Weise zu etwas verbunden, das ihr ›Bewusstsein‹ nennt. Die Menschenseele flimmert also durch ein Gehirn, das aus sehr feinem Staub entstanden ist, der einst von den Sternen am Himmel heruntergerieselt ist. Die Gedanken und Gefühle der Menschen laufen immer wieder über diesen feinen Sternenstaub, wo alle Nervenenden auf immer neue Weise miteinander verbunden werden können …«

»Dann habe ich vielleicht sogar Staub vom Stern von Bethlehem in meinem Gehirn.«

»Und in deinen Gedanken und deinen Erinnerungen.«

Sie versuchte aus dem Fenster zu blicken, während Ariel weitersprach.

»Es ist bestimmt ein seltsames Gefühl, ein lebendiges Gehirn in einem Weltraum zu sein. Wie ein eigenes kleines Universum in dem großen Universum draußen. Denn in deinem Gehirn gibt es so viele Atome und Moleküle, wie es im Weltraum Sterne und Planeten gibt …«

Sie unterbrach ihn:

»Und vielleicht ist der Weg in meine innersten Gedanken so weit wie der zu den äußersten Sternen am Rand des Weltraums.«

Er nickte.

»Der Unterschied ist nur, dass ein Gehirn sich seiner bewusst ist. Es kann die ganze Zeit seine Tätigkeit bewerten. Das kann der Himmelsraum draußen nicht.

Der Weltraum kann sich nicht erheben und sagen: ›Ich bin ich.‹ Dazu braucht der Weltraum die Hilfe der Menschen.«

Sie lächelte triumphierend.

»Das ist wirklich ein wichtiger Unterschied.«

»Aber du hast noch nicht erklärt, was es für ein *Gefühl* ist, sich an etwas zu erinnern.«

»Stimmt, das hatte ich vergessen.«

»Und das nun wieder ist eigentlich genauso interessant.«

»Was?«

»›Das hatte ich vergessen.‹ Vielleicht kannst du mir auch erklären, was es für ein Gefühl ist, etwas zu vergessen.«

»Es ist einfach weg.«

»›Es ist einfach weg!‹«, wiederholte Ariel. Diesmal versuchte er auch, ihre Stimme nachzuahmen.

»Aber später kann es dann plötzlich wieder auftauchen. Manchmal liegt es mir geradezu auf der Zunge.«

»Auf der Zunge?«

»Das ist so eine Redensart.«

»Ich wusste nicht, dass die Zunge etwas mit dem Gedächtnis zu tun hat. Du willst doch nicht behaupten, dass ihr den Geschmack der Wörter genauso wahrnehmt wie den von Erdbeeren?«

Cecilie lachte.

»Ich sage: ›Ich glaube, ich weiß es.‹ Wenn mich dann niemand stört, ist es auch plötzlich meist da. Mein Großvater sagt aber, dass wir einem weggerutschten Gedanken nie hinterherweinen dürfen ...«

»Warum nicht?«

»Er ist wie ein Fisch, der in letzter Sekunde vom Haken rutscht. Er schwimmt einfach weg in die Tiefe und kommt noch fetter wieder zurück.«

Ariel nickte energisch.

»Dann haben sie vielleicht Recht.«

»Wer?«

»Einige Engel behaupten, dass wir die irdischen Dinge nie verstehen werden. Aber ich habe nicht aufgeben wollen. Ich habe immer versucht zu begreifen, wie es ist, ein Mensch aus Fleisch und Blut zu sein.«

»Ich weiß aber nicht, ob ich dir helfen kann, ich begreif es ja selber nicht.«

Ariel hob vom Fußende des Bettes ab. Er schwebte durchs Zimmer und fragte:

»Weißt du noch, wie wir uns zum ersten Mal begegnet sind?«

Sie musste nachdenken.

»Du saßest auf der Fensterbank. Aber ich glaube, ich weiß nicht mehr genau, was du gesagt hast.«

»›Ich glaube, ich weiß nicht mehr genau …‹«

»Hast du nicht einfach ›hallo‹ gesagt oder so was?«

Ariel schüttelte den Kopf, danach schwieg er lange. Schließlich fuchtelte Cecilie mit einem Arm.

»Moment noch! Es liegt mir schon auf der Zunge!«

»Dann spuck es doch aus, ehe es plötzlich ›wieder weg‹ ist!«

Er setzte sich auf die Fensterbank, genau wie beim ersten Mal, als er sich ihr gezeigt hatte. Cecilie blickte zu ihm auf und sagte:

»Du hast gefragt, ob ich gut geschlafen hätte!«

»Gratuliere!«

»Das war ja nicht schwer!«

»Aber ich bin Zeuge eines großen Mysteriums geworden. Ich habe dich gefragt, ob du dich an etwas erinnern kannst, und du hast gesagt, du hättest es vergessen. Einfach weg also. Aber als du dich nicht erinnern konntest, was war das genau für ein Gefühl?«

Cecilie seufzte resigniert.

»Stimmt schon, das ist ein seltsamer Gedanke. Manchmal fällt mir eben plötzlich was ein.«

»Woher genau fällt dir das ein?«

»Aus dem Kopf.«

Ariel ließ sich jetzt wirklich Zeit.

»Und wohin genau fällt es dir ein?«

Sie musste lachen.

»In den Kopf.«

»Aus dem Kopf in den Kopf also. Obwohl wir die ganze Zeit über ein und denselben Kopf reden. Aber nicht nur an das, was ihr seht und hört, erinnert ihr euch und vergesst es dann wieder, um euch dann wieder daran zu erinnern. Das Gehirn handelt auch auf eigene Faust. Das nennt ihr dann ›denken‹. Da verschieben sich die vielen kleinen Steine an dem großen Strand ganz ohne die Hilfe der Wellen.«

Wieder lachte Cecilie.

»Ich versuche mir das vorzustellen! Und wenn sie nun einfach so durch die Gegend hüpfen?!«

»Auch ein Gedanke, den du gedacht hast – zum Beispiel, dass ein Weihnachtsstern verschwunden ist –, kann eine Zeit lang beiseite geschoben werden, dann aber wird er wieder ins Bewusstsein gehoben. Dann spulst du gewissermaßen dein Bewusstsein zurück, um gerade diesen Gedanken noch einmal zu denken. Ich glaube, ihr lasst jede Menge alter Gedanken neu durchlaufen, die eigentlich längst restlos ausgedacht sein müssten.«

»Ich würde eher sagen, dass so ein Gedanke von selbst auftaucht. Wir können nicht immer selbst bestimmen, woran wir uns erinnern und was wir vergessen wollen. Manchmal denken wir an Dinge, an die wir überhaupt nicht denken wollen. Ein anderes Mal versprechen wir uns. Dann sagen wir Dinge, die wir eigentlich nicht hatten sagen wollen. Und das kann manchmal sehr peinlich sein!«

Der Engel Ariel saß auf der Fensterbank und nickte und nickte mit seinem kahlen Schädel.

»Dann ist es vielleicht so, wie ich befürchtet habe«, sagte er.

»Wie denn?«

»Ihr habt nicht nur *eine* Seele, so wie wir. In gewisser Hinsicht habt ihr zwei – oder auch ganz viele Seelen. Oder wie würdest du erklären, dass ihr an Dinge denkt, an die ihr nicht denken wollt?«

»Ich weiß nicht.«

»Diese unerwünschten Gedanken können ja nicht von eurem Bewusstsein gelenkt werden. Das ist dann ungefähr wie ein Theater, von dem ihr nicht die geringste Ahnung habt, welches Stück als Nächstes auf dem Spielplan steht.«

»Meinst du, die Seele ist das Theater und die Schauspieler auf der Bühne sind die Gedanken, die immer wieder auftauchen und die verschiedenen Rollen spielen?«

»So ungefähr. Im Theater des Bewusstseins gibt es jedenfalls viele Zimmer. Und es muss auch viele verschiedene Bühnen geben.«

Er hob von der Fensterbank ab, schwebte in hohem Bogen über den Boden und setzte sich wieder ans Fußende von Cecilies Bett.

»Kannst du versuchen zu erklären, was das in deinem Kopf für ein Gefühl ist, wenn du an etwas denkst?«, bat er.

»Ich spüre nichts.«

»Aber kitzelt es denn nicht, wenn du an einen witzigen Gedanken denkst? Tut es kein bisschen weh, wenn du an etwas Trauriges denkst?«

»Irgendwie kitzelt es schon, wenn ich an etwas Witziges denke. Vielleicht tut es auch ein bisschen weh, wenn der Gedanke traurig ist. Aber das passiert dann nicht im Kopf. Es passiert in der Seele und die Seele ist nicht dasselbe wie der Kopf!«

»Ich stelle mir vor, dass auf jeden Fall die Nervenstränge ein bisschen jucken«, widersprach Ariel.

Cecilie blickte den Engel herausfordernd an.

»Du willst doch nicht behaupten, Engel denken auch nicht?«

»Doch, genau das. Engel dürfen ja schließlich nicht lügen.«

»Ich finde, jetzt gehst du zu weit.«

»Aber wir denken wirklich nicht. Nicht so wie Menschen aus Fleisch und Blut. Wir brauchen nicht ›nachzudenken‹, um irgendeine Antwort zu finden. Alles, was wir wissen, und alles, was wir wissen können, ist jederzeit in unserem Bewusstsein präsent. Gott hat uns einen kleinen Zipfel von seinem großen Mysterium verstehen lassen, aber nicht alles. Und über das, was wir nicht verstehen, müssen wir eben schweigen.«

Cecilie überlegte sich das Ganze noch einmal.

»Dann ist es bei uns anders. Wir versuchen immerzu, mehr zu verstehen. Plötzlich geht uns etwas Neues auf. Die Allerklügsten bekommen für solche Entdeckungen den Nobelpreis, jedenfalls, wenn ihre Entdeckungen für die ganze Menschheit von Bedeutung sind. Es geht ungefähr so wie beim Körper, der wächst. Genauso wächst unser Verstand.«

»Aber ihr könnt auch vergessen. Auf diese Weise geht ihr zwei Schritte vor und einen zurück.«

»Vielleicht. Aber selbst, wenn wir etwas vergessen, ist es nicht notwendigerweise völlig verloren. Plötzlich kann es wie ein Springteufelchen wieder auftauchen.«

»Das ist der große Unterschied zwischen Menschen und Engeln. Wir wissen nicht, was Vergessen bedeutet, deshalb kennen wir auch das Erinnern nicht. Ich weiß heute weder mehr noch weniger als vor zweitausend Jahren. In der Zwischenzeit ist das Wissen der Menschheit jedoch beträchtlich angewachsen. Nicht alle Engel finden diesen Unterschied gut.«

»Ich wusste gar nicht, dass ihr neidisch sein könnt.«

Ariel lachte.

»Unser Neid sitzt aber auch nicht sehr tief.«

»Können eure Gedanken denn sehr tief sitzen? Großvater sagt ab und zu, dass er sehr tiefe Gedanken denkt.«

Ariel schüttelte den Kopf.

»Weil immer alle unsere Gedanken im Bewusstsein präsent sind, haben wir nie die Freude, uns selber mit plötzlichen Tiefsinnigkeiten zu überraschen. Wir können aus keinem solchen Grenzland schöpfen. Unser Bewusstsein bewegt sich nicht über ein aufgewühltes Meer, in dem längst vergessene Gedanken plötzlich wie fette Fische aus der Tiefe auftauchen können.«

»Du hast gesagt, Engel schlafen nicht ...«

»Nein, wir schlafen nie, deshalb träumen wir auch nicht. Was ist denn das für ein Gefühl?«

»Ich *fühle* nichts.«

Er nickte kurz.

»So wie ich nicht fühle, dass ich durch die Luft schwebe. So wie ich nicht fühle, dass ich einen Schneeball anfasse ...«

Cecilie sagte:

»Träumen ist eine Art zu denken ... oder zu sehen. Vielleicht beides auf einmal. Aber wenn wir träumen, bestimmen nicht wir, was wir denken und sehen.«

»Das musst du genauer erklären.«

»Wenn wir träumen, denkt unser Kopf ganz von selbst. Erst dann kannst du von einem richtigen Theater sprechen. Ab und zu wache ich auf und weiß noch, dass ich ein ganzes Theaterstück geträumt habe – oder von mir aus auch einen Film.«

»Den du selbst machst, denn du spielst alle Rollen.«
»Im Grunde schon.«
Ariel war jetzt ganz eifrig.
»Wir können vielleicht sagen, dass die Gehirnzellen sich gegenseitig Filme zeigen. Gleichzeitig aber sitzt der Film ganz hinten im Kino und sieht sich selber auf der Leinwand.«
»Das klingt lustig! ›Die Gehirnzellen zeigen sich gegenseitig Filme ...‹ Ich kann sie richtig vor mir sehen.«
»Denn wenn ihr träumt, seid ihr Filmstars und Publikum auf einmal. Ist das nicht geheimnisvoll?«
Sie zuckte zurück.
»Ich finde es ein bisschen unheimlich, darüber zu reden.«
»Aber es ist doch bestimmt ein lustiges Erlebnis. Du wirst Zeugin eines ganzen Feuerwerks von Gedanken und Bildern in deinem Kopf, obwohl du nicht eine einzige Rakete selber abgeschossen hast. Das ist fast wie eine Gratisvorstellung.«
Sie nickte.
»Es kann sehr lustig sein, aber auch ziemlich unheimlich, wir träumen ja nicht immer lustige Träume. Wir können auch hässliche oder ekelhafte Träume haben ...«
Er war jetzt sehr verständnisvoll.
»Natürlich ist es schade, dass ihr euch auf diese Weise selbst quält. Am besten wäre es, wenn ihr einen Film ausschalten könntet, der euch nicht gefällt. In eurem Kino müsste es einen Notausgang geben. Aber weil eure eigene Seele das Kino ist – und deshalb die Filme aussucht –, ist das unmöglich. Ihr könnt ja nicht vor eurer

eigenen Seele davonlaufen. Ihr könnt euch nicht selbst in den Schwanz beißen. Oder vielleicht macht ihr gerade das. Ihr beißt euch in den Schwanz, bis ihr vor Entsetzen und Grauen schreit und heult.«

Cecilie knabberte jetzt an ihren Fingernägeln. Sie sagte:

»Ich will aber nicht, dass es so ist. Nur kann ich nicht einfach beschließen bloß noch lustige Träume zu träumen. Ich muss alles hinnehmen, wie es kommt. Nach einer langen Nacht kann ich erwachen und glauben auf Kreta gewesen zu sein. Und irgendwie war ich es auch, denn im Traum habe ich ja geglaubt, dass der Traum dort passiert ist.«

Ariel musterte sie mit seinem klaren, energischen Saphirblick.

»Genau!«

»Was?«

»Nicht so eilig! Träumt ihr auch manchmal, ihr fliegt – oder geht durch verschlossene Türen?«

»Sicher, im Traum ist alles möglich, jedenfalls fast alles. Ich brauche nicht mal zu schlafen. Auch wenn ich hellwach bin, kann ich meine Gedanken fliegen lassen. Ich kann hier im Haus umherflattern ... oder in fremden Ländern. Einmal habe ich geträumt, ich sei auf dem Mond. Marianne und ich hatten hinter der alten Molkerei ein Raumschiff gefunden. Und dann haben wir einfach auf einen Knopf gedrückt und sind losgeflogen.«

Ariel schwebte jetzt wieder unter der Decke herum. Nach einer kleinen Runde durchs Zimmer ließ er sich auf dem Stuhl vor dem Bett nieder.

»Dann ist ja alles klar«, sagte er.

Cecilie schüttelte verständnislos den Kopf.

»Ich kapier gar nichts mehr.«

Er zeigte auf ihre Stirn und sagte:

»In Gedanken könnt ihr alles tun, was Engel mit dem ganzen Körper machen. Wenn ihr träumt, könnt ihr in euren Köpfen genau dasselbe machen wie die Engel in der ganzen Schöpfung.«

Sie war leicht verwirrt.

»Aber das ist noch nicht alles«, sagte Ariel. »Wenn ihr träumt, kann euch nichts passieren. Dann seid ihr so unverwundbar wie die Engel im Himmel. Dann ist alles, was ihr erlebt, pures Bewusstsein, und ihr benutzt die fünf Sinne eures Körpers nicht.«

Cecilie kam ein neuer Gedanke. Sie richtete sich auf und sagte energisch:

»Dann ist unsere Seele vielleicht unsterblich! Dann ist sie vielleicht so unsterblich wie die Engel im Himmel.«

Ariel zögerte mit der Antwort.

»Jetzt verstehst du jedenfalls etwas besser, wie es ist, ein Engel zu sein. Obwohl wir vor allem darüber gesprochen haben, wie es ist, ein Mensch aus Fleisch und Blut zu sein, hast du auch etwas von den himmlischen Dingen begriffen. Denn der Himmel spiegelt sich in der Erde wider.«

Sie machte noch einen Versuch:

»Und die Seele ist göttlich, nicht wahr?«

Als er keine Antwort gab, glaubte sie, ihn am Verschwinden hindern zu müssen.

»Du hast versprochen mehr zu erzählen«, sagte sie.

Er nickte.

»Aber gerade jetzt kommt deine Mutter die Treppe herauf. Deshalb muss ich ganz schnell durch den Spiegel verschwinden.«

Sie blickte sich im Zimmer um.

»Von welchem Spiegel redest du eigentlich die ganze Zeit?«

Er hatte den Stuhl verlassen und stand jetzt mitten im Zimmer. Seine Umrisse wurden immer unschärfer. Ehe er ganz verschwand, sagte er:

»Die ganze Schöpfung ist ein Spiegel, Cecilie. Und die ganze Welt ist ein dunkles Wort.«

Viele Tage verstrichen, ohne dass der Engel Ariel sich wieder sehen ließ, aber immer saß irgendein Familienmitglied auf dem Stuhl vor dem Bett. Kristine kam fast jeden Tag, obwohl inzwischen auch Mutter und Großmutter gelernt hatten, die Spritzen zu setzen. Cecilie wusste nicht immer, welcher Tag gerade war oder welche Tageszeit. Wenn sie es schaffte, schrieb sie ab und zu neue Gedanken in das chinesische Notizbuch.

Skier und Schlitten lehnten an der Wand zum Elternschlafzimmer. Der Winter bot noch immer gute Skiverhältnisse. Cecilie war fest entschlossen gesund zu werden, ehe der Schnee verschwand. Sie wollte nicht ein Jahr warten müssen, bis sie wieder in der Loipe stehen konnte.

Den anderen gegenüber erwähnte sie Ariel nie. Er hatte mit der übrigen Familie nichts zu tun, denn obwohl Cecilie hier in Skotbu ein Mitglied der Familie war, war sie auch ein Mensch, der allein zwischen Himmel und Erde stand.

Aber was war aus Ariel geworden? Er hatte ihr doch versprochen, noch mehr über die himmlischen Dinge zu erzählen! Und er hatte doch auch gesagt, dass Engel nie lügen!

Er hatte sie ja wohl nicht hereingelegt? Hatte er Cecilie etwa dazu gebracht, ihm ausgiebigst zu erzählen, wie es war, ein Mensch aus Fleisch und Blut zu sein, um sich dann zu verdrücken, ohne seinen Teil der Abmachung eingehalten zu haben?

Sie öffnete die Augen. Fast im selben Moment kam ihre Mutter ins Zimmer und setzte sich auf die Bettkante. Cecilie starrte sie mit leerem Blick an.

»Hast du wieder Zwiebeln geschnitten?«, murmelte sie.

Ihre Mutter schüttelte den Kopf. Trotzdem sagte Cecilie:

»Ihr esst viel zu viele Zwiebeln.«

Cecilies Mutter fuhr ihr mit der Hand durch die Haare.

»Es ist bald Mitternacht. Die anderen sind schon längst schlafen gegangen. Ich versuche jetzt auch, ein bisschen zu schlafen.«

»Du *versuchst* zu schlafen?«

»Nein, nein ... ich nehme eine Tablette.«

»An so was darfst du dich gar nicht erst gewöhnen.«

»Dazu besteht auch nicht die geringste Gefahr.«

Cecilie blickte auf.

»Ich wüsste zu gern, warum wir so erschaffen sind, dass wir schlafen müssen.«

»Im Schlaf ruhen wir uns aus. Es gibt Leute, die sogar behaupten, wir müssten auch träumen.«

»Warum?«

Ihre Mutter holte tief Luft und stieß sie laut hörbar wieder aus.

»Ich weiß es nicht.«

»Aber ich glaube, ich weiß selbst die Antwort.«

»So?«

»Ich glaube, wir müssen träumen, weil wir uns wegträumen müssen.«

»Du machst dir ja seltsame Gedanken, Cecilie.«

»Vielen Menschen geht es so schlecht, dass sie vielleicht vor Kummer sterben würden, wenn sie nicht ab und zu in all ihrem Elend etwas Lustiges träumen könnten.«

Cecilies Mutter wusch ihr mit einem nassen Lappen das Gesicht und zog ihr ein sauberes Nachthemd an.

»Mach dir keine Sorgen, dass ich so schlapp bin. Ich glaube, ich bin trotzdem schon etwas gesünder.«

»Ja, vielleicht ...«

»Meint Kristine das nicht auch?«

Ihre Mutter wich aus:

»Sie sagt, wir müssen abwarten.«

»Vielleicht kann ich morgen ein bisschen aufstehen. Zum Kaffee zum Beispiel ...«

»Das können wir morgen noch entscheiden.«

»Aber ich will bald die neuen Skier ausprobieren. Das hast du versprochen!«

»Die stehen ja bereit. Und du kannst jederzeit klingeln – auch, wenn nur jemand bei dir sitzen und mit dir reden soll. Papa kommt bald und setzt sich zu dir.«

»Das braucht er doch nicht.«

»Aber wir möchten es gern.«

»Du darfst nur keinen Schock kriegen, wenn du hörst, dass ich Selbstgespräche führe.«

»Machst du das denn manchmal?«

Cecilie blickte wieder zu ihr hoch.

»Ich weiß nicht.«

Ihre Mutter legte die Arme um sie und drückte sie an sich.

»Du bist die allerfeinste Kleine auf der ganzen Welt«, sagte sie. »Ohne dich wäre die Welt öd und leer.«

Cecilie lächelte.

»Das war ja ein feierlicher Gutenachtgruß.«

Sie schlief fast im selben Moment ein, in dem ihre Mutter das Zimmer verließ. Nach einer Weile wurde sie davon wach, dass etwas gegen die Fensterscheibe klopfte. Sie öffnete die Augen und sah hinter dem Fenster Ariels Gesicht. Im gelben Licht der Gartenlampe oben im Baum sah er aus wie ein russischer Goldengel, den sie mal in der »Illustrierten Wissenschaft« gesehen hatte. Oder hatte das Bild das Jesuskind dargestellt?

Er winkte mit einer Hand, dann schwebte er durch das Fenster und stand vor dem Schreibtisch auf dem Boden. Die Fensterscheibe war unversehrt.

Cecilie machte große Augen.

»Wir haben zwar so viel darüber geredet, aber ich habe noch immer nicht kapiert, wie du das schaffst.«

Ariel setzte sich auf den Stuhl. Gut, dass ihr Vater noch nicht kam.

»Das ist auch nicht so wichtig«, sagte Ariel. »Und deshalb brauchen wir nicht darüber zu reden.«

Cecilie setzte sich im Bett auf und streckte auf der Decke ein Bein aus.

»Wo hast du denn die ganze Zeit gesteckt?«, fragte sie.

»Du hattest doch auch so genug Besuch«, erwiderte er.

Cecilie nickte.

»Warst du deshalb so lange nicht mehr hier?«

Die Frage beantwortete Ariel nicht.

»Es ist fast schon Vollmond«, behauptete er. »Draußen ist eine Art Vierteltag, wenn das Mondlicht über die schneebedeckte Landschaft flutet.«

»Herrlich! Ich würde so gern den Mond draußen mit eigenen Augen sehen!«

»Kannst du das denn nicht?«

»Ich bin schon viel gesünder ...«

»Spitze! Wurde auch langsam langweilig, dass du immer nur so schwach warst.«

»Darf ich denn?«

Der Engel Ariel hob vom Stuhl ab und umschwebte Schlitten und Skier.

»Deine Eltern erlauben es dir natürlich nicht, mitten in der Nacht nach draußen zu gehen.«

»Aber du erlaubst es mir?«

Er nickte geheimnisvoll. Cecilie hatte schon die Decke beiseite geworfen.

»Wenn die Engel im Himmel etwas erlauben, spielt es keine Rolle, was die anderen sagen. Außerdem schläft das ganze Haus.«

»Also gut, machen wir einen kleinen Ausflug. Aber

du musst dich warm anziehen, dass du nicht in einen einzigen großen Pfefferminzklumpen verwandelt wirst.«

Cecilie stand aus ihrem Bett auf. Sie stand ganz sicher auf dem Boden. Ihr war kein bisschen schwindlig.

»Ich will die neuen Skier ausprobieren«, sagte sie.

Gleich darauf stand sie vor dem Kleiderschrank. Schon Anfang November hatte sie nachgesehen, ob auch alle Winterkleider vollzählig waren. Sie lagen in einem eigenen Fach. Sie zog ihr Nachthemd aus und holte Pullover, Strumpfhose, Skihose und Anorak aus dem Schrank. Sie fand Schal, Mütze, Handschuhe und dicke Socken. Bald saß sie auf der Bettkante und schnürte die Skistiefel zu. Als sie fertig war, sah sie zu Ariel hoch.

»Würdest du bitte die Skier für mich tragen?«

Sie gingen durch den Flur und schlichen sich die Treppe hinunter ins Erdgeschoss. Cecilie schloss die Haustür auf und ließ Ariel mit den Skiern an sich vorbei. Dann ging auch sie hinaus und machte die Tür vorsichtig hinter sich zu.

Sie gingen an der Scheune vorbei. Hier zog sich ein steiler Abhang zum Fluss und zu dem großen Tannenwald hinunter. Cecilie trat mit ihren Skistiefeln in die Bindungen und streifte sich die Schlaufen der Stöcke über die Handgelenke. Das Mondlicht zeichnete scharfe Schatten in den Schnee.

»Ich versuche mal den Hang runterzufahren«, sagte sie. »Du musst hinterherkommen. Auf diese Gelegenheit habe ich schon so lange gewartet.«

Schon fuhr sie los. Aber der Engel Ariel lief ihr nicht hinterher, er schwebte dicht neben ihr durch die Luft.

»Jetzt fliegen wir beide«, sagte er. »Der einzige Unterschied ist, dass ich es nicht spüre.«

»Es ist herrlich!«, rief Cecilie. »Einfach engelhaft!«

Als sie unten angekommen waren, fiel Cecilie im lockeren Schnee auf die Nase und sie lachten beide.

Sie rappelte sich auf und zeigte auf den Tannenwald.

»Zum Ravnekollen führt eine gute Loipe hinauf. Von oben hat man einen herrlichen Ausblick über das ganze Tal.«

Einen Moment schien er sie prüfend zu mustern, aber es dauerte wirklich nur einen Moment.

»Schaffst du die ganze Strecke?«

Sie war schon unterwegs.

»Im Moment komme ich mir bärenstark vor!«, jubelte sie.

Sie erreichte die tiefe Loipenspur und Ariel wuselte um sie herum wie ein fliegender Hund beim Sonntagsspaziergang; mal links, dann wieder rechts. Ab und zu lief er auch ein Stück.

»Frierst du nicht, wenn du barfuß durch den Schnee läufst?«, fragte sie.

Er seufzte nachsichtig.

»Wir wollen doch nicht noch mal ganz von vorn anfangen?«

Cecilie lachte.

»Es ist einfach so ein verrückter Anblick. Hast du gewusst, dass es Fakire gibt, die alle Sinne ausschalten können, so dass sie weder frieren noch sich verbrennen? Sie können sogar auf einem Nagelbrett schlafen!«

Er nickte.

»Wir sind genauso oft in Indien wie in Norwegen.«

Sie erreichten den Wald, wo die Loipe sich zwischen den dicht stehenden Bäumen hinzog. Ab und zu machte Ariel eine Abkürzung und glitt einfach durch einen Stamm hindurch. Einmal huschte er durch ein Gestrüpp. Für ihn war das schließlich nur ein Nebelfetzen.

Am letzten Hang unterhalb des Ravnekollengipfels musste Cecilie auf Grätenschritt wechseln, um nicht auszurutschen. Bald standen sie oben auf der Hügelkuppe. Hier wuchsen keine Bäume. Cecilie hob einen Skistock und zeigte auf die gefrorene Landschaft, die in Mondlicht gebadet lag.

»Als ich klein war, habe ich das hier für das Dach der Welt gehalten«, sagte sie. »Und wenn Großmutter von Odin erzählte, der in seinem Hochsitz saß und von dort die Welt im Blick hatte, hab ich mir vorgestellt, dass es hier war. Du hast doch sicher von seinen beiden Raben gehört?«

Ariel nickte.

»Hugin und Munin. Das bedeutet ›Gedanke‹ und ›Sinn‹.«

»Das hat Großmutter auch gesagt. Denn in gewisser Weise waren es seine Gedanken und sein Sinn, die er in die Welt hinausgeschickt hat.«

Wieder nickte Ariel. Dann sagte er etwas Seltsames:

»Du weißt vielleicht noch, wie wir über das ›innere Auge‹ gesprochen haben, das alle Menschen haben, das für Blinde aber besonders wichtig ist. Auch das besteht aus ›Sinn‹ und ›Gedanke‹. Hugin und Munin waren also Odins inneres Auge.«

Cecilie riss die Augen auf. Warum war sie nicht schon selbst auf diesen Gedanken gekommen?

Der Engel Ariel fügte hinzu:

»Gott ist allwissend. Und er kann an mehreren Orten zugleich sein. Das konnte Odin nicht, aber er hatte immerhin seine beiden Raben. So wurde auch er allwissend.«

Cecilie hob wieder den einen Skistock und zeigte noch einmal auf das Tal.

»Siehst du die vielen Höfe?«, fragte sie. »In fast jedem Haus kenne ich jemanden. Da unten liegt die Schule ... der weiße Strich, der sich durch die Landschaft schlängelt, ist der Fluss. Er heißt Leira. Marianne wohnt in dem gelben Haus auf dem anderen Ufer.«

»Das weiß ich, Cecilie.«

»Unten links kannst du die Lichter von Kløfta sehen und der Hügel ganz hinten heißt Heksebergåsen. Jessheim liegt in der anderen Richtung.«

Ariel nickte.

»Ich weiß das.«

»Da unten siehst du unsere Scheune. Und hinter dem hohen Baum mit der Lampe kannst du sogar ein Stück vom Haus sehen. Das Fenster links im ersten Stock gehört zu meinem Zimmer.«

»Ich bin doch schon oft durch das Fenster ein- und ausgestiegen«, sagte Ariel.

Er schwebte einen Viertelmeter über dem Boden, um Cecilie in die Augen blicken zu können. Seine blaugrünen Saphiraugen glitzerten im Mondlicht. Er sagte:

»Wenn du jetzt da unten an deinem Fenster stehen

und zum Ravnekollen hochblicken würdest, könntest du uns hier oben sehen. Dann könnten wir dir vielleicht zuwinken.«

Cecilie schlug sich die Hand vor den Mund. Das klang wirklich ziemlich geheimnisvoll!

Sie wusste plötzlich, dass etwas nicht stimmte, begriff aber nicht, was es war.

»Mein Vater kann jederzeit ins Zimmer kommen, um nachzusehen, ob ich auch schlafe. Wenn er jetzt kommt, kriegt er einen tierischen Schock. ›Um Himmels willen‹, sagt er dann. ›Der Vogel ist ja aus dem Nest geflogen!‹«

»Soll ich mal nachschauen, ob er schläft?«

»Kannst du das denn?«

Für kurze Zeit war Ariel verschwunden und Cecilie stand ganz allein zwischen Himmel und Erde. Einige Sekunden hatte sie das Gefühl, einen Zwillingsbruder verloren zu haben. Dann stand er wieder neben ihr.

»Sie schlafen beide«, versicherte er ihr. »Sie hat ihren Kopf an seinen Nacken geschmiegt. Sie haben den Wecker auf halb vier gestellt.«

Cecilie atmete erleichtert auf. Sie zeigte wieder auf die Landschaft unter ihnen.

»Ich habe nie begreifen können, wie der Mond so viel Licht verströmen kann.«

»Das liegt daran, dass alles andre ganz dunkel ist. Wenn Licht durch Dunkelheit leuchtet, geht unterwegs kein einziger Strahl verloren.«

»Aber der Mond leuchtet ja eigentlich nicht von selbst«, wandte Cecilie ein. »Er ist nur ein Spiegel, der sein Licht von der Sonne leiht.«

Ariel nickte feierlich.

»Aber die Sonne leuchtet eigentlich auch nicht von selbst. Sie ist nur ein Spiegel, der sein Licht von Gott leiht.«

»Ehrlich?«

»Ich stehe doch hier nicht unter Gottes Angesicht und halte dich zum Narren!«

»Nein, natürlich nicht ... ich habe mir bloß nie überlegt, dass die Sonne ihr Licht genauso von Gott leiht wie der Mond seins von der Sonne.«

Sie stützte sich auf ihre Skier und starrte in den Schnee. Als sie wieder aufblickte, stand Ariel nicht mehr neben ihr. Jetzt schwebte er einige Dutzend Zentimeter vor ihr über dem Boden. Er sagte:

»Auch du leihst dein Licht von Gott, Cecilie. Auch du bist Gottes Spiegel. Denn was wärest du ohne die Sonne und was wäre die Sonne ohne Gott?«

Cecilie strahlte:

»Dann bin ich ja auch ein kleiner Mond.«

»Und in diesem Moment scheinst du auf mich herab.«

»Wie seltsam das klingt. Alles, was du sagst, hört sich so feierlich an, dass es mir kalt den Rücken runterläuft.«

Der Engel Ariel nickte.

»Wenn wir über die himmlische Herrlichkeit sprechen, wird es eben feierlich.«

»Erzählst du mir jetzt vom Himmel?«

»Ich bin ja dabei.«

Er zeigte zum Himmelsgewölbe hinauf. Der Mond war so hell, dass sich nur wenige Sterne als blasse Tupfer daneben abzeichneten.

»Zuallererst musst du begreifen, dass du schon im Himmel bist«, sagte er.

»Das hier ist der Himmel?«

Der Engel Ariel nickte.

»Wo sollten wir denn sonst sein? Die Erde ist nur ein kleiner Fussel im gewaltigen Himmelsraum.«

»So habe ich es noch nie überlegt.«

»Das hier ist die Himmelserde, Cecilie. Das hier ist der Garten Eden, wo die Menschen leben. Die Engel wohnen auch an allen anderen Orten.«

»Meinst du, im Weltraum?«

»Oder im Himmelsraum, aber das ist genau dasselbe.«

Wieder beugte Cecilie sich über ihre Skistöcke und starrte den Schnee an.

»Geheimnisvoll«, sagte sie. »Sehr geheimnisvoll.«

Als sie wieder hochblickte, sah Ariel sie herausfordernd an.

»Das finde ich nun wirklich sehr einfach.«

Cecilie schüttelte verzweifelt den Kopf.

»Ich habe mich immer gefragt, wo der Himmel eigentlich ist«, sagte sie. »Bisher hat kein Raumfahrer auch nur eine Spur von Gott oder den Engeln gesehen.«

»Und kein Gehirnchirurg hat auch nur die Spur eines Gedankens gesehen. Kein Traumforscher hat sich den Traum eines anderen Menschen ansehen können. Das heißt aber nicht, dass es in den Köpfen der Menschen keine Gedanken und Träume gibt.«

»Natürlich nicht …«

»Und niemand an dem langen Strand konnte dich

sehen, als du dich dorthin zurückgeträumt hast. Darüber haben wir ja schon gesprochen.«

»Meinst du, draußen im Universum wimmelt es nur so von Engeln?«

»Das kann ich dir sagen. Du meinst doch nicht, Gott hat so ein großes Universum ganz ohne Grund erschaffen? Weil wir Engel weder frieren noch uns verbrennen, können wir uns auf absolut sämtlichen Himmelskörpern aufhalten. Aber nur hier auf der Erde ist es für Menschen aus Fleisch und Blut ungefähr warm oder kalt genug. An allen anderen Orten wäre es entweder zu warm oder zu kalt. Wenn die Welt nur ein wenig näher zur Sonne hin läge, wäre das Leben für Menschenfleisch und Menschenblut hier unerträglich. Und wenn die Erde näher zum Pluto läge, würdet ihr im Nu zu Eisstatuen gefrieren.«

Der Engel drehte eine kleine Runde durch die Luft, schwebte aber bald wieder einen knappen halben Meter vor Cecilie.

»Warst du schon mal auf dem Mond?«, fragte sie.

Sofort antwortete er:

»Da tanze ich Ballett.«

»Auf dem Mond?«

Er nickte.

»Es war ziemlich lustig, als die ersten Menschen gelandet sind. Wir waren mit einer ganzen Bande da oben, weißt du. Aber weder Armstrong noch die anderen konnten uns sehen. Sie dachten, sie seien völlig allein. Und sie waren so stolz, denn sie hielten sich für die ersten Besucher auf dem Mond … Weißt du, was

Armstrong gesagt hat, als er das Landefahrzeug verließ?«

»›Ein kleiner Schritt für mich, aber ein großer Schritt für die Menschheit‹«, sagte Cecilie.

»Genau!«

Cecilie fühlte sich als Vertreterin der Menschheit etwas verärgert, dass die Engel die ersten Raumfahrer ausspioniert hatten, die sich ganz allein auf dem Mond wähnten.

»Darüber würde ich gern in der Zeitung schreiben. ›Neueste Nachrichten: Auf dem Mond wimmelt es von Engeln. Neue Radaranlagen entlarven altes Geheimnis.‹«

Ariel lachte.

»Aber du hast vielleicht noch nie von Asteroiden gehört?«

Cecilie freute sich, auf dem Gebiet kannte sie sich nämlich aus. Sie hatte mehr über den Weltraum gelesen als die meisten andern in ihrem Alter. Schließlich hatte sie sich während ihrer Krankheit durch den dicken Stapel der »Illustrierten Wissenschaft« hindurchgewühlt.

»Doch, sicher«, antwortete sie. »Das sind winzige Planeten, die sich um die Sonne drehen. Aber es gibt so viele und sie sind so klein, dass sie keine richtigen Namen bekommen haben. Viele haben einfach nur Nummern.«

Ariel klatschte in die Hände.

»Bravo! Du weißt also mehr über die himmlische Herrlichkeit, als du gedacht hättest. Wenn ich ganz allein sein will – sagen wir, für fünfzig oder hundert Jahre –, dann setze ich mich gern auf einen kleinen Asteroiden. Denn es gibt zwar viele Engel im Himmel, aber es gibt noch mehr Asteroiden. Und nach einer Nerven aufreibenden Diskussion unter Engeln an einem großen Versammlungsort kann es dann sehr beruhigend sein, auf einem winzigen Planeten herumzuschlendern. Manchmal spiele ich Himmel und Hölle und springe von Asteroid zu Asteroid. Das ist wirklich toll!«

Für Cecilie hörte sich das alles viel zu einfach an.

»Ich glaube, du lügst«, sagte sie.

Sie blickte in die blaugrünen Saphiraugen, schlug den Blick aber gleich wieder nieder, weil sie eine dermaßen schlimme Anklage vorgebracht hatte.

»Pech gehabt«, sagte Ariel. »Engel lügen nicht, also glaubst du nicht, dass ich einer bin.«

»Erzähl weiter«, antwortete Cecilie mürrisch.

Er sagte:

»Am lustigsten finde ich jedoch auf einem Kometen zu sitzen.«

»Auf einem Kometen?«

»Zum Beispiel auf dem Halley'schen, ja. Der kreist in 76 Jahren einmal um die Sonne. Aber seine Bahn zieht sich so weit durch den Weltraum, dass er rasend schnell ist. Der Unterschied ist nur, dass du nicht wieder nach oben zu klettern brauchst, wenn du noch mal rutschen willst.«

Cecilie schüttelte den Kopf. »So was«, sagte sie. »Das würde ich auch gern mal machen. Aber ich wusste gar nicht, dass Engel so verspielt sind.«

Der Engel Ariel schaute ihr tief in die Augen.

»Ich habe doch gesagt, Gott hat Adam und Eva erschaffen, damit jemand zwischen den vielen Bäumen herumspringen und in dem großen Garten Verstecken spielen konnte. Es bringt nichts einen Garten zu erschaffen, wenn es keine Kinder gibt, die darin spielen können.«

Cecilie nickte und Ariel fuhr fort:

»Es bringt auch nichts, einen großen Wohnraum mit Milliarden von Sternen und Planeten, Monden und Asteroiden zu haben, wenn es keine Engel gibt, die die ganze Herrlichkeit ausnutzen können.«

Cecilie hatte noch immer ein paar Probleme:

»Stimmt schon, hört sich ziemlich vernünftig an. Aber von allem, was du gesagt hast, hören wir im Religionsunterricht nicht den leisesten Mucks.«

Darauf ging Ariel nicht ein. Lieber sagte er etwas ganz Anderes:

»Wenn Gott all das nur erschaffen hätte, um sich aufzuspielen, wäre er ganz schön egozentrisch. Es gibt an die hundert Milliarden Galaxien im Himmelsraum und in jeder Galaxis finden wir an die hundert Milliarden Sonnen. Da kannst du dir ja denken, wie viele Planeten und Monde es gibt – von den Asteroiden ganz zu schweigen. Auch wenn es sehr viele Engel gibt, können wir nicht behaupten, wir hätten zu wenig Tummelplatz. Und über zu wenig Zeit können wir uns ja auch nicht beklagen.«

»Nein, wirklich nicht. Aber ich gönne sie euch.«

»Und wir halten das Universum zusammen, Cecilie. Gott hat zwar niemals Raben auf seinen Schultern sitzen gehabt, aber er hatte immer schon ganze Heerscharen von Engeln.«

Cecilie bohrte jetzt mit der Spitze des einen Skistocks im Schnee herum.

»Wenn du über das Ganze ein Buch schreiben würdest, könntest du bestimmt einen oder zwei Nobelpreise bekommen«, stellte sie fest.

»Warum zwei?«

»Einen für Theologie und einen für Astronomie. Falls die beiden dann nicht zusammengelegt würden. Und schlimmstenfalls würdest du den Nobelpreis für Fantasie bekommen. Den hättest du wirklich verdient.«

Ariel lachte.

»Ich möchte aber wirklich nicht in Konkurrenz zu solch ernsten Wissenschaftlern treten. Sie meinen, sie könnten mit Mikroskopen und Teleskopen alle Geheimnisse der Natur entschleiern. Und sie glauben nur an das, was sie wiegen und messen können. Aber sie verstehen doch alles nur stückweise. Sie begreifen nicht, dass sie durch einen Spiegel auf ein dunkles Wort schauen. Ein Engel kann doch nicht vermessen oder gewogen werden. Und es bringt auch nichts, einen Spiegel mit dem Mikroskop zu untersuchen. Da ist es schon besser, wenn man ein wenig Fantasie anwendet.«

Cecilie bohrte tiefer und energischer im Schnee herum.

»Ich würde auch gern zwischen den Asteroiden Himmel und Hölle springen. Ich würde auch gern auf dem Mond Ballett tanzen oder mich an einen lustigen Kometen klammern, der durch das Weltall saust. Denn das ist alles im Himmel, sagst du ...«

»Ja?«

»Viele Menschen glauben, dass wir nach dem Tod in den Himmel kommen. Stimmt das?«

Ariel seufzte:

»Ihr seid *jetzt* im Himmel. Hier und in diesem Moment. Ich finde, ihr solltet aufhören euch zu streiten und zu prügeln. Es ist wirklich kein gutes Benehmen, sich vor Gottes Angesicht zu prügeln.«

»Du hast meine Frage nicht beantwortet.«

»Ihr kommt und geht, geht eurer Wege und kommt. Das machen auch die Sterne und die Planeten.«

»Blabla!«

Cecilie bohrte den Stock in den Boden.

»Bist du böse, Cecilie?«

Sie wusste, dass der Engel Recht hatte. Aber sie fand auch, sie hatte ein Recht, gerade jetzt etwas böse zu sein. Sie sagte:

»Du erzählst mir immer wieder, dass die Menschen aus Fleisch und Blut sind. Aber was aus Fleisch und Blut ist, kann kein ewiges Leben haben, hast du gesagt. Das finde ich sehr traurig, denn auch ich würde gern ein paar tausend Jahre zwischen den Asteroiden Himmel und Hölle spielen und dann zwei Millionen Jahre lang Ferien auf einem exotischen Planeten in einer fernen Galaxis machen. Deshalb will ich jetzt unbedingt wissen, ob wir ein ewiges Leben haben.«

Sie schlug sich die Hand vor den Mund. Woher waren ihr bloß all die Worte gekommen?

Ariel sagte:

»Niemand hat ›ewiges Leben‹, die Engel im Himmel zumindest nicht. Denn Engel ›leben‹ nicht, deshalb spüren wir nichts, deshalb werden wir auch nicht erwachsen. Darüber haben wir doch schon gesprochen.«

Cecilie starrte den Schnee an.

»Ich finde es ziemlich blöde, wenn ihr jammert, dass ihr nicht lebt, während ihr in alle Ewigkeit zwischen Sternen und Planeten umherfliegt.«

»Wie du im Schlaf an fernen Stränden umherfliegst«, erwiderte Ariel. »Stell dir vor, dein ganzes Leben wäre ein Traum!«

Cecilie zuckte mit den Schultern.

»Wenn der Traum in alle Ewigkeit weitergehen würde und dabei einigermaßen lustig wäre, hätte ich lieber den Traum als das Leben. Was würdest du überhaupt vorziehen: wenige Jahre Menschenleben oder ein Engelleben in alle Ewigkeit?«

»Weder du noch ich haben so eine Wahl. Deshalb ist es überhaupt kein Thema. Und es ist bestimmt besser, ein einziges Mal in den Himmelsraum hinauszublicken als überhaupt nichts zu erleben. Wer noch nicht erschaffen ist, hat schließlich auch keinen Anspruch darauf, je erschaffen zu werden.«

Cecilie dachte über Ariels letzte Worte nach. Dann überlegte sie sich das Ganze noch einmal. Schließlich sagte sie:

»Aber vielleicht würden sie lieber nicht erschaffen werden als nur für kurze Zeit zu leben. Wenn sie nicht erschaffen würden, wüssten sie ja nicht, was sie versäumen.«

Ariel antwortete nicht darauf. Plötzlich jagte er in die Luft und spähte zum Haus hinüber.

»Es ist drei Uhr«, sagte er. »Wir müssen uns beeilen, sie werden gleich wach.«

Cecilie sauste den Hügel hinunter. Neben ihr flatterte der Engel Ariel. Dass die Bäume dicht nebeneinander standen, spielte keine Rolle, denn Cecilie konnte in der Loipe aufrecht stehen, und Ariel huschte durch die Stämme hindurch wie durch Nebelfetzen. Bald wanderten sie den letzten Hang vor der Scheune hinauf.

Ariel zupfte Cecilie an der Kapuze und sagte: »Den Rest schaffen wir nicht mehr zu Fuß.«

»Wirklich nicht?«

Aber Ariel hatte auch keine Zeit mehr zu antworten. Er packte Cecilie am Anorak und zog sie in die Luft. Einen Moment später flogen sie durch das geschlossene Fenster und standen mitten in Cecilies Zimmer.

Die Fensterscheibe war unversehrt, Cecilie auch. Aber sie hatte noch immer die Skier an ihren Füßen. Schmelzwasser sickerte über den Boden.

»Was sie wohl sagen werden?«, flüsterte sie und zeigte beschämt auf Skier und Fußboden.

»Ich mach das schon«, sagte der Engel Ariel.

Cecilie schnallte die Skier ab, riss sich die Kleider vom Leib, streifte ihr Nachthemd über und kroch ins Bett. Sie sah zu, wie der Engel in einem Irrsinnstempo ihre Kleider zusammenfaltete und zurück in den Schrank legte. Er lehnte Skier und Stöcke an die Wand. Dann hauchte er Skier und Boden zweimal an, sofort waren Wasser und Schneematsch verschwunden. Nichts konnte noch verraten, dass Cecilie einen Ausflug im Mondschein gemacht hatte. »Spitze!«, sagte Cecilie und schlief ein.

Als sie die Augen aufschlug, saß ihr Vater auf dem Stuhl vor ihrem Bett.

»Wie spät ist es?«, fragte sie.

»Sieben.«

»Sitzt du schon lange hier?«

»Nur ein paar Stunden ...«

Erst jetzt fiel ihr die nächtliche Skitour wieder ein. Sie sah sich im Zimmer um. Nichts wies darauf hin, dass sie ihre Skier benutzt haben könnte.

Vielleicht war es ja gar nicht letzte Nacht passiert. Vielleicht waren seither viele Tage vergangen, von denen Cecilie nichts wusste.

Sie fühlte sich schlapper denn je. Ob die Skitour mit Ariel daran schuld war?

»Ich fühl mich überhaupt nicht wohl«, sagte sie.

Cecilies Vater nahm ihre Hand.

»Es geht dir ja auch nicht so gut.«

»Welches Datum haben wir heute?«

»Den 22. Januar.«

»Fast ein Monat seit Heiligabend.«

Er nickte.

»Bald kommt Mama mit der Spritze.«

»›Mit der Spritze ...‹«

»Ja, sie ist gerade im Badezimmer.«

»Ich habe das alles verdammt satt.«

Er drückte ihre Hand.

»Das ist doch klar«, sagte er nur.

Sie versuchte zu ihm hochzublicken.

»Wenn ich so weit bin, will ich Astronomie studieren.«

»Das ... das ist bestimmt sehr spannend.«

»Jemand muss endlich alles herausfinden.«

»Wovon redest du?«

»Ich bin doch krank, Papa ...«

»Das stimmt.«

»... aber ihr anderen seid diejenigen, die nicht mehr mitkommen. Ich meine, jemand muss doch herausfinden, wie alles zusammenhängt. So kann das doch nicht mehr weitergehen.«

»Die Wissenschaft macht immer neue Fortschritte ...«

»Glaubst du an Engel?«

»Warum willst du das wissen?«

»Glaubst du an Gott?«

Er nickte.

»Du doch sicher auch?«

»Ich weiß nicht ... wenn er bloß nicht so doof wäre. Hast du gewusst, dass er auf ungefähr jeden Asteroiden einen Engel gesetzt hat? Wenn sie wollen, können sie sich da bis in alle Ewigkeit amüsieren. Sie brauchen sich nicht mal die Zähne zu putzen oder die Nägel zu schneiden. Andere Engel sitzen auf großen Kometen, die im Affenzahn um die Sonne jagen. Und sie blicken zur Erde hinunter und wüssten zu gern, was das für ein Gefühl ist, ein Mensch aus Fleisch und Blut zu sein ...«

»Ich glaube, jetzt fantasierst du.«

»... während Gott der Allmächtige sich bequem zurücklehnt und uns wie Seifenblasen durch die Gegend bläst. Nur, um sich vor den Engeln im Himmel aufzuspielen.«

»Das tut er bestimmt nicht.«

»Warum bist du dir da so sicher? Wenn er nun ein riesengroßer Mistkerl ist?«

»Wir können nicht alles verstehen, Cecilie.«

»Das habe ich schon öfter gehört ... wir begreifen nur stückweise. Wir sehen alles durch einen Spiegel, in einem dunklen Wort.«

»Ja, das sind weise Worte.«

Cecilie blickte mit resigniertem Gesicht zu ihm hoch.

Danach schwiegen sie lange. Cecilie hätte gern noch mehr gesagt, wusste aber nicht, ob sie es über sich bringen würde. Irgendwie hoffte sie, ihr Vater würde die Worte aus ihrem Kopf ziehen können, ohne dass sie den Mund aufmachen musste.

Sie fragte:

»Weißt du noch, wie wir nach Kreta geflogen sind?«

Er versuchte zu lächeln.

»Wie sollte ich das wohl vergessen?«

»Ich meine, ob du dich an den Flug erinnern kannst, du Dussel.«

Er nickte.

»Ich weiß sogar noch, dass wir auf dem Hinflug Brathähnchen mit Kartoffelsalat und auf dem Rückflug Frikadellen in Paprikasoße bekommen haben ...«

»Sprich jetzt nicht vom Essen, Papa. Ich wollte sagen, dass ich aus dem Fenster geschaut habe. Hinunter auf die Erde.«

Mehr sagte sie nicht. Aber sie dachte daran, dass sie hoch in der Luft gesessen und den Erdball mit den vielen Straßen und Städten, Bergen und Äckern gesehen hatte. Auf der Heimreise waren sie zuerst über den Wolken geflogen. Sie hatte das Gefühl gehabt, zwischen Himmel und Erde zu schweben. Sie waren erst spätnachts in Norwegen gelandet. Beim Anflug auf den Flughafen waren sie unter die Weihnachtswatte getaucht. Und unter ihnen hatte sich ein Märchenland mit elektrischen Lichtern in allen Farben eröffnet.

»Wenn wir geboren werden, wird uns eine ganze Welt geschenkt«, sagte Cecilie.

Ihr Vater nickte. Es schien ihm nicht zu gefallen, dass sie so viel zu sagen hatte.

»Aber nicht nur wir kommen auf die Welt. Du kannst genauso gut sagen, dass die Welt zu uns kommt.«

»Das ist doch fast dasselbe.«

»Ich hab das Gefühl, dass mir die ganze Welt gehört, Papa.«

Er nahm jetzt auch ihre andere Hand.

»In gewisser Hinsicht stimmt das ja auch.«

»Nicht nur unser Haus ... und der Ravnekollen ... und der Fluss dort unten. Mir gehört auch ein bisschen von der Ebene von Lasithi auf Kreta ... und die ganze Insel Santorini. Es ist nicht anders, als wenn ich einmal in der alten Burg auf Knossos gewohnt hätte. Mir gehören Sonne und Mond und alle Sterne am Himmel. Denn ich habe alles *gesehen.*«

Cecilies Vater griff zur Glocke auf dem Nachttisch und klingelte. Warum er das nur machte? Er war doch hoffentlich nicht auch krank geworden?

Sie sagte:

»Das alles kann mir niemand mehr wegnehmen. Es wird immer *meine* Welt sein. In alle Ewigkeit wird es meine Welt sein.«

Jetzt kam ihre Mutter ins Zimmer. Vater sprang auf und stürzte hinaus. Er saß schon so lange bei Cecilie, dass er wohl dringend aufs Klo musste.

»Cecilie?«

Sie drehte sich mit einem schrecklich vorwurfsvollen Blick zu ihrer Mutter um.

»Cecilie!«

»Kannst du mir nicht einfach bloß die Spritze geben, Mama? Wir brauchen doch keine langen Reden zu halten.«

Sie bekam ihre Spritze, danach war sie wahrscheinlich eingenickt, denn als sie das nächste Mal wach wurde, saß Ariel auf dem Stuhl vor dem Bett.

Cecilie fühlte sich viel wohler als vorhin, als ihre Eltern dagesessen hatten. Vielleicht machte das Zusammensein mit dem Engel sie gesund?

»Hast du gut geschlafen?«, fragte er.

Sie erhob sich und setzte sich auf die Bettkante, blickte zum Fenster hinüber und sah, dass es draußen hell war.

»Tag«, sagte sie. »Manchmal komme ich total durcheinander.«

Ariel nickte geheimnisvoll.

»Der Erdball dreht und dreht sich eben.«

Cecilie lachte, sie wusste nicht recht, warum, aber in diesem Moment fand sie den Gedanken, dass der Erdball sich drehte und drehte, lustig. Sie sagte:

»Irgendwer hat behauptet, die Welt sei ein Theater. Aber dann muss es ein Theater mit Drehbühne sein.«

»Klar doch«, entschied Ariel. »Und weißt du auch, warum?«

Sie zuckte mit den Schultern.

»Eigentlich spielt das doch keine Rolle, ich merke ja nicht, wie die Welt sich dreht. Von mir aus könnte sie ein bisschen mehr wie ein Karussell sein. Stell dir vor ... dann würden die Riesenradbesitzer aber schlechte Geschäfte machen!«

Ariel verließ den Hocker, schwebte langsam durchs Zimmer und setzte sich auf den Schreibtisch. Er blickte auf Cecilie hinab.

»Die Erde dreht und dreht sich, damit alle Menschen in alle Himmelsrichtungen in den Weltraum hinausblicken können. Auf diese Weise seht ihr fast alle Sterne und alles, was es draußen gibt, und es ist egal, in welcher Ecke der Welt ihr wohnt.«

»Das habe ich mir noch nie überlegt.«

Er nickte nachdrücklich und fügte hinzu:

»Ob ihr nun in Jessheim oder auf Java wohnt, es soll euch eben kein Zipfel der himmlischen Herrlichkeit verborgen bleiben. Es wäre doch auch schrecklich ungerecht, wenn nur die Hälfte der Menschen auf der Erde die Sonnenstrahlen in ihrem Gesicht spüren dürften oder wenn die Hälfte der Menschheit nie im Leben auch nur einen Halbmond zu sehen bekäme. Sonne und Mond gehören allen Menschen auf der Welt.«

»Hat Gott wirklich deshalb den ganzen Kreisel in Bewegung gesetzt?«

»Genau! Aber nicht allein deshalb ...«

»Na, sag schon!«

»Wichtig war auch, dass alle Engel im Himmel den ganzen Erdball sehen können, egal, auf welchem Himmelskörper sie sich gerade aufhalten. Es ist nämlich viel leichter, einen Planeten im Auge zu behalten, der sich dreht und dreht, als einen, der uns nur die eine Wange hinhält.«

Cecilie fand den Engel Ariel jetzt fast schon ein wenig zu eifrig. Er redete wie ein Wasserfall. Jetzt baumelte er auch noch mit den Beinen.

»Ich glaube, das habe ich dir schon gesagt, dass wir Röntgenaugen haben«, sagte er. »Aber von unserem Teleblick habe ich dir wohl noch nichts erzählt ...«

»Willst du sagen, ihr könnt die Menschen auf der Erde sehen, selbst wenn ihr weit draußen im Weltraum auf irgendeinem idiotischen Planeten rumhängt?«

»Genau. Da oben ist ja nie besonders viel los. Aber wenn wir behaglich zurückgelehnt auf unserem idiotischen Planeten sitzen und zum Erdball hinaufblicken, können wir das ganze himmlische Theater verfolgen, egal ob sich die Szene auf Kreta oder in Kløfta ereignet.«

»›Das himmlische Theater?‹«

Er nickte.

»Der Erdball, Cecilie. Das Leben der Menschen auf der Erde ist wie ein endloses Theaterstück. Ihr kommt und geht. Gott schickt seine Menschen aus …«

Cecilie saß einige Sekunden bewegungslos auf der Bettkante. Dann sagte sie:

»Also, ich finde, das stinkt.«

Sie versetzte dem Stuhl einen kräftigen Tritt.

»Wenn das stimmte, wäre alles ungeheuer ungerecht.«

Ariel sah ein wenig betroffen aus, aber immerhin baumelte er weiter mit den Beinen.

»Dann reden wir eben nicht mehr darüber«, sagte er.

»Ich glaube, ich will überhaupt nicht mehr reden.«

Sofort hörte Ariel auf mit den Beinen zu baumeln.

»Du bist verbittert, Cecilie.«

»Na und?«

»Deshalb bin ich ja hier.«

Sie starrte den Fußboden an.

»Ich verstehe einfach nicht, warum die Welt nicht ein kleines bisschen anders erschaffen werden konnte.«

»Darüber haben wir doch schon gesprochen. Das ist ja gerade das Spannende: Du weißt nicht genau, was herauskommt. Dir fehlt die Allmacht über deine Zeichnung.«

Cecilie sagte nichts darauf. Erst nach einer ganzen Weile meinte sie:

»Wenn ich etwas zeichnen müsste und wüsste, das, was ich zeichne, wird nachher lebendig sein, würde ich nicht einen einzigen Strich machen. Ich würde nie wagen etwas Leben zu geben, das sich nicht gegen alle möglichen eifrigen Buntstifte wehren kann.«

Der Engel zuckte mit den Schultern.

»Aber trotzdem würden deine Figuren alles nur stückweise verstehen. Sie würden es nicht von Angesicht zu Angesicht sehen.«

Sie seufzte tief:

»Die ganzen Mysterien gehen mir langsam auf die Nerven.«

»Schade. Das war wirklich nicht meine Absicht.«

»Irgendein Dussel hat gesagt, es ginge vor allem um Sein oder Nichtsein. Und ich glaube immer mehr, dass er Recht hat. Oder sie – aber du hast ja gesagt, dass das mit den Geschlechtern und so in der geistigen Welt nicht wichtig ist ...«

»›Sein oder Nichtsein‹«, wiederholte Ariel. »Gut gesagt, denn ein Zwischending gibt es nicht.«

»Ich meine, dass wir nur dieses eine Mal auf der Erde sind. Und dass wir niemals zurückkehren werden!«

»Ich weiß, dass du sehr krank bist, Cecilie ...«

Sie fiel ihm ins Wort:

»Aber du darfst nicht fragen, was mir fehlt. Das darf niemand, nicht einmal die Engel im Himmel.«

»Ich wollte nur sagen, dass ich gekommen bin dich zu trösten.«

Sie schnaubte:

»Trösten, du meine Güte!«

Ariel hob vom Schreibtisch ab und schwebte durchs Zimmer.

Cecilie sagte:

»Wenn ich alt werde und am Ende sterbe, werde ich bestimmt wieder ein Kind. Und auf die Weise lebe ich dann im Himmel weiter, genau wie ihr. Wir werden alle so eine Art Odinsraben. Das ist eigentlich gar nicht schlecht ...«

»Glaubst du das?«, fragte Ariel.

»›Glaubst du das?‹ – ›Glaubst du das?‹ *Du* musst das doch wissen!«

Er wiegte sich vor dem Bett in der Luft und warf einen Schatten über die alte Perlenkette und den griechischen Katzenkalender.

»Nichts da«, sagte er energisch. »Schöpfung und Himmel sind ein so großes Mysterium, dass weder die Menschen auf der Erde noch die Engel im Himmel es fassen können.«

»Dann könnte ich ja genauso gut mit meinem Vater oder meiner Großmutter sprechen.«

Er nickte.

»Auch die treiben irgendwo in Gottes großem Mysterium umher.«

Sie blickte zu ihm hoch:

»Kennst du Gott eigentlich? Persönlich, meine ich.«

»Ich sitze einem kleinen Zipfel von ihm von Angesicht zu Angesicht gegenüber. Denn was ich mit dem kleinsten seiner Kinder gesehen und besprochen habe, das habe ich mit ihm gesehen und besprochen.«

Cecilie dachte darüber nach.

»Wenn man Gott nur auf diese Weise begegnen kann, ist es bestimmt nicht leicht, ihm eins auf die Finger zu geben.«

Ariel prustete los.

»Dann würde er sich ja selbst eins auf die Finger geben!«

Es wurde ganz still im Zimmer, da fügte der Engel Ariel hinzu:

»Wenn du dich beklagst, dass Gott dumm ist, klagt sich Gott dadurch vielleicht selbst an. Oder hast du vergessen, was er gesagt hat, als er am Kreuz hing?«

Cecilie nickte. Die Großmutter hatte ihr in der letzten Zeit oft aus der Bibel vorgelesen, aber gerade an diese Stelle konnte sie sich nicht mehr erinnern.

»Na, sag schon!«

»›Mein Gott, mein Gott, warum hast du mich verlassen!‹«

Cecilie ging ein Licht auf. Sie hatte sich das noch nie überlegt. Wenn Jesus Gott war, dann hatte Gott am Kreuz mit sich selbst geredet. Vielleicht hatte er auch mit sich selbst geredet, als er in Gethsemane zu seinen Jüngern sprach. Sie hatten sich nicht mal die Mühe gemacht, bis zu seiner Gefangennahme wach zu bleiben.

»›Mein Gott, mein Gott, warum hast du mich verlassen!‹«, wiederholte sie.

Ariel schwebte etwas näher an sie heran. Er schaute ihr mit seinem saphirblauen Blick in die Augen und sagte:

»Sag es nur, Cecilie! Sag es ruhig immer wieder. Denn im Himmelsraum stimmt wirklich etwas nicht. Mit der ganzen großen Zeichnung ist etwas schief gegangen!«

Sie versuchte ihre Gedanken in den Griff zu bekommen.

»Weißt du wirklich nicht mehr darüber, was auf der anderen Seite ist?«, fragte sie.

Er schüttelte seinen kahlen Schädel.

»Wir sehen alles in einem Spiegel. Jetzt hast du durch das Glas einen Blick auf die andere Seite tun dürfen. Ich kann den Spiegel nicht ganz sauber putzen. Dann würdest du vielleicht etwas mehr sehen, aber du könntest dich nicht mehr selbst erkennen.«

Verwundert starrte sie ihn an.

»Was für ein tiefer Gedanke«, sagte sie.

Er nickte.

»Aber noch tiefer können wir nicht in Fleisch und Blut vordringen. Denn Fleisch und Blut sind ein seichtes Fahrwasser. Ich kann die ganze Zeit Sand und Steine auf dem Boden sehen.«

»Ehrlich?«

Er nickte.

»Fleisch und Blut sind doch auch nur aus Erde und Wasser. Aber Gott hat euch etwas von seinem Geist eingehaucht. Und deshalb steckt in euch etwas Göttliches.«

Cecilie breitete resigniert die Arme aus.

»Ich weiß nicht, was ich sagen soll«, sagte sie.

»Du könntest dir selbst gratulieren.«

»Aber ich habe doch gar nicht Geburtstag!«

Er schüttelte den Kopf.

»Du könntest dir selbst gratulieren, weil du ein Mensch bist, der an einer wundersamen Reise um eine brennende Sonne im Himmelsraum teilnehmen durfte. Und dabei durftest du einen kleinen Zipfel der Ewigkeit erleben. Du hast ins Universum geschaut, Cecilie!

Und auf die Weise konntest du von dem Papier aufblicken, auf das du gezeichnet wurdest. Auf die Weise konntest du deine eigene Majestät im großen Himmelsspiegel sehen.«

Ariel hörte sich jetzt so feierlich an, dass seine Worte Cecilie richtig Angst machten.

»Ich glaube, du darfst jetzt wirklich nicht mehr weiterreden. Ich fürchte, ich halte das nicht länger aus.«

»Nur noch eins!«, sagte er ganz zum Schluss.

Er starrte ihr mit einem Blick in die Augen, der klarer und tiefer als die Ägäis war.

»Alle Sterne fallen irgendwann einmal. Aber ein Stern ist doch nur ein Funke des großen Feuers am Himmel ...«

Im nächsten Augenblick war er verschwunden. Und gleichzeitig war sie offenbar eingeschlafen. Als sie erwachte, saßen ihre Eltern und ihre Großmutter an ihrem Bett.

»Da seid ihr ja alle!«

Alle drei nickten. Mama feuchtete Cecilies Mund mit einem Tuch an.

»Wo steckt Lasse?«

»Der ist mit Großvater draußen, Schlittschuh laufen.«

»Ich möchte mit Oma reden.«

»Sollen Papa und ich rausgehen?«

Cecilie nickte.

Die Eltern gingen aus dem Zimmer. Großmutter nahm Cecilies Hände.

»Weißt du noch, wie du über Odin erzählt hast?«, fragte Cecilie.

»Natürlich weiß ich das noch.«

»Er hatte auf jeder Schulter einen Raben sitzen. Und jeden Morgen flogen die Raben in die Welt und sahen sich um. Danach flogen sie zu Odin zurück und erzählten, was sie gesehen hatten ...«

»Jetzt bist du es, die davon erzählt«, sagte Großmutter.

Als Cecilie schwieg, fügte sie hinzu:

»Aber in gewisser Hinsicht war es doch Odin selbst, der durch die Welt flatterte. Obwohl er in aller Ruhe auf seinem Hochsitz thronte, konnte er auf den Flügeln der Raben um die Welt fliegen. Raben sehen ja auch sehr gut ...«

Cecilie fiel ihr ins Wort:

»Das wollte ich doch gerade sagen ...«

»Was denn?«

»Ich wünschte, ich hätte zwei solche Raben. Oder wenigstens wär ich gern einer von ihnen.«

Großmutter drückte Cecilies Hände ein bisschen fester.

»Darüber brauchen wir jetzt aber nicht zu sprechen.«

»Ich vergesse so langsam alles, was du mir erzählt hast«, sagte Cecilie.

»Ich finde, du weißt das noch sehr gut.«

»Hast du gesagt, dass wir traurig werden, wenn etwas schön ist? Oder dass wir schön werden, wenn etwas traurig ist?«

Darauf gab Großmutter keine Antwort, sie hielt einfach Cecilies Handgelenke fest und blickte ihr in die Augen.

»Unter meinem Bett liegt ein Notizbuch«, sagte Cecilie. »Holst du es mal vor?«

Großmutter ließ ihre Hand los, bückte sich und hob das chinesische Notizbuch auf. Sie entdeckte auch den schwarzen Filzstift.

»Kannst du etwas für mich aufschreiben?«, bat Cecilie.

Jetzt ließ Großmutter auch ihre andere Hand los und Cecilie diktierte:

»Wir sehen alles durch einen Spiegel, in einem dunklen Wort. Manchmal können wir durch den Spiegel schauen und ein wenig von dem entdecken, was sich auf der anderen Seite befindet. Aber wenn wir den Spiegel ganz sauber wischten, würden wir viel mehr sehen. Nur könnten wir uns dann nicht mehr selbst erkennen ...«

Großmutter blickte vom Notizbuch auf.

»War das ein tiefer Gedanke?«, fragte Cecilie.

Großmutter nickte, dann liefen ihr ein paar Tränen über die Wangen.

»Weinst du?«, fragte Cecilie.

»Ja, jetzt weine ich, mein Kind.«

»Weil es so schön ist oder weil es so traurig ist?«

»Beides.«

»Das war aber noch nicht alles.«

»Sprich nur weiter!«

»Wenn ich etwas zeichnen wollte und wüsste, dass meine Zeichnung am Ende lebendig würde, würde ich es nicht wagen, auch nur einen einzigen Strich zu ziehen. Ich würde nie wagen etwas Leben zu geben, das sich nicht gegen alle möglichen eifrigen Buntstifte wehren könnte ...«

Es wurde ganz still im Schlafzimmer. Auch im übrigen Haus herrschte Stille.

»Was meinst du?«, fragte Cecilie.

»Sehr schön ...«

»Schreibst du noch weiter?«

Wieder weinte Großmutter. Dann nickte sie und Cecilie diktierte:

»Schöpfung und Himmel sind ein so großes Mysterium, das weder die Menschen auf der Erde noch die Engel im Himmel fassen können. Aber etwas im Himmelsraum stimmt nicht. Mit der ganzen großen Zeichnung scheint etwas schief gegangen zu sein.«

Sie blickte auf:

»Jetzt kommt nur noch ganz wenig.«

Wieder nickte Großmutter und Cecilie sagte:

»Alle Sterne fallen irgendwann einmal. Aber ein Stern ist doch nur ein kleiner Funke des großen Feuers am Himmel.«

Eines Nachmittags wurde Cecilie von der Amsel geweckt, die draußen vor dem Fenster sang. Diesmal saß Cecilies Mutter am Bett.

»Warum steht das Fenster offen?«, fragte Cecilie.

»Draußen ist es so schön mild, fast wie im Frühling.«

»Liegt denn kein Schnee mehr?«

»Doch, noch genug.«

»Und gibt es Eis auf dem Fluss?«

Ihre Mutter nickte.

»Aber es ist nicht mehr sicher.«

Cecilie dachte an Ariel. Bei seinem letzten Besuch war er so feierlich gewesen. War es deshalb, weil er die letzten himmlischen Geheimnisse verraten hatte?

Jetzt saß immer jemand bei ihr. Eines Abends hatte Cecilie gebeten über Nacht allein gelassen zu werden.

»Einer von uns sitzt immer hier«, versicherte ihr Vater.

»Aber warum denn?«

Als sie keine Antwort bekam, sagte sie:

»Ich kann doch klingeln, wenn ich was brauche.«

Ihr Vater strich ihr über die Haare.

»Aber vielleicht schaffst du's ja nicht.«

»Dann schicke ich einen Engel, der euch weckt.«

Die Eltern tauschten einen Blick. Cecilie fragte:

»Ihr glaubt doch wohl nicht, ich will von hier weglaufen?«

Ihr Vater schüttelte nur den Kopf, Cecilies Mutter sagte:

»Jetzt sitzen wir bei dir wie damals, als du ein kleines Baby warst.«

»Warum habt ihr plötzlich solche Angst, der Vogel könnte das Nest verlassen?«

Sie musste sie fast aus dem Zimmer verjagen. Als sie etwas später erwachte, saß Ariel auf der Fensterbank.

»Du siehst so schön aus, wenn du schläfst«, sagte er.

»Aber ich will nicht reden. Ich will nach draußen!«

»Schaffst du das?«

»Na, und wie! Ich will noch mal zum Fluss, ehe das ganze Eis wegschmilzt.«

Ariel seufzte.

»Das ist so viel Nervkram mit deinen vielen Kleidern.«

»Aber ich will nach draußen«, beharrte sie.

»Na gut, ein kleiner Ausflug.«

Er half die Winterkleider aus dem Schrank zu holen.

»Heute Nacht nehmen wir den Schlitten«, befahl Cecilie.

Ariel lächelte.

»Schlitten fahr ich dann zum allerersten Mal.«

»In diesem Jahr jedenfalls«, korrigierte Cecilie.

Als sie sich angezogen hatte, standen sie ein Weilchen nebeneinander vor dem Regal und sahen sich die schönen Halbedelsteine an.

»Die stammen fast aus der ganzen Welt. Jeder Stein ist ein kleines Bruchstück des Erdballs«, sagte sie.

»›Ein kleines Bruchstück des Erdballs‹«, wiederholte Ariel.

Er zeigte auf den Schmetterling, den Cecilie von Marianne bekommen hatte.

»Aber der doch nicht?«

Sie gab keine Antwort, sondern steckte den Schmetterling in ihre Anoraktasche.

»Jetzt soll er in die Welt hinausfliegen«, sagte sie.

»›In die Welt hinausfliegen‹«, äffte Ariel nach. »›Jetzt soll er in die Welt hinausfliegen.‹«

»Erst musst du nachsehen, ob alle schlafen.«

Ariel fragte mit listigem Blick:

»Sollen wir das zusammen machen?«

Sie gingen auf den Flur und stellten den Schlitten bei der Treppe ab. Dann schlichen sie sich ins Elternschlafzimmer. Die Tür war offen. Sie blieben gleich hinter der Türschwelle nebeneinander stehen. Cecilie hielt sich einen Finger an die Lippen. »Pst«, flüsterte sie.

Im Zimmer war es fast dunkel, nur durch das Fenster fiel ein wenig Licht von der Lampe über der Scheunentür. Die Eltern lagen dicht aneinander geschmiegt.

»Findest du nicht, dass sie wie kleine Kinder aussehen, wenn sie schlafen?«, flüsterte Ariel.

Cecilie nickte.

»Ich wüsste ja gern, wovon sie träumen ...«

Sie gingen wieder auf den Flur und schauten in Lasses Zimmer. Auf dem Boden lag eine ganze Wagenladung Legosteine. Cecilie musste ihre Füße vorsichtig setzen, um nicht draufzutreten. Ariel hob einfach ein paar Zentimeter vom Boden ab.

Sie spürte, sie hatte ihren kleinen Bruder so lieb, dass sie sich ein paar Tränen aus den Augen wischen musste.

War es nicht seltsam, dass man Tränen in den Augen hatte, weil man jemanden liebte? In den letzten Wochen war sie so wenig mit Lasse zusammen gewesen, dass er ihr fast wie ein fremdes Kind erschienen war.

Sie nahmen den Schlitten und schlichen die Treppe hinunter.

»Meine Großeltern wohnen in dem kleinen Haus nebenan«, flüsterte Cecilie.

Der Engel Ariel nickte.

»Aber jetzt schläft deine Großmutter auf dem Wohnzimmersofa.«

Sie schauten hinein, und richtig: Da schlief Großmutter, vollständig angezogen und nur mit einer dünnen Decke zugedeckt. Cecilie wusste, dass sie in letzter Zeit öfter auf dem Sofa übernachtet hatte. Und zwar, weil sie Großvaters Schnarchen nicht ertragen konnte, hatte Cecilies Mutter gesagt. Großmutter selbst sagte, sie müsse Mama doch bei den Spritzen helfen.

»Sie ist die beste Großmutter auf der Welt!«, flüsterte Cecilie.

»Das weiß ich«, antwortete Ariel.

»Nicht nur, weil sie meine Großmutter ist. Sie ist wirklich die beste Großmutter auf der Welt.«

»›Beste Großmutter‹«, äffte Ariel sie nach. »›Die beste Großmutter auf der Welt.‹«

Sie traten auf die Vordertreppe und schlossen die

Haustür hinter sich. Da standen sie nun in der kalten Winternacht. Der Himmel wimmelte dermaßen von funkelnden Sternen, dass die Nacht zu einem Achteltag wurde. Es schien kein Mond, deshalb waren die Sterne besonders klar zu sehen. Nur, wenn es ganz dunkel ist, nimmt die Dunkelheit schließlich sämtliche Strahlen auf.

Cecilie lief über den Hof und zog den Schlitten hinter sich her. Großmutter hatte ein dickes Seil dran befestigt. Ihre Mutter hatte gemeint, das habe doch keine Eile. Aber Cecilie und Großmutter hatten es in aller Heimlichkeit erledigt.

Vom Hof aus führten lange sanfte Hänge fast bis zum Flussufer hinab. Cecilie setzte sich sofort auf den Schlitten. Als sie sich abstieß, sah sie sich zu Ariel um und rief:

»Wenn du mitwillst, spring auf!«

Er kam hinterher und schmiegte sich auf dem Schlitten an sie. Der Schnee war verharscht, deshalb jagten sie auf der harten Kruste bergab. Erst ganz unten beim dichten Gestrüpp am Ufer stoppte der Schlitten.

Cecilie lachte.

»Rekord!«, sagte sie.

Sie erhob sich und drehte sich zu Ariel um.

»War das nicht herrlich?«

»Bestimmt«, antwortete er mit betrübter Miene. »Aber ich habe nichts gespürt.«

»Jetzt wollen wir über den Fluss«, entschied Cecilie.

Sie kämpfte sich durch das Gestrüpp. Dann ging es aufs Eis hinaus.

»Ich habe keine Schlittschuhe bekommen«, sagte sie, »aber glitschen kann ich trotzdem!«

Sie hatte den Schlitten losgelassen und rutschte auf Stiefeln über das Eis. Ariel rutschte auf bloßen Füßen hinter ihr her. Seine Füße waren offenbar sehr glatt, denn wie ein Eiskunstläufer drehte er lustige Pirouetten.

Plötzlich hörten sie das Eis grummeln und knacken. Cecilie sprang schnell aufs andere Ufer. Ariel huschte hinterher.

Als sie sich umdrehten, entdeckten sie, dass das Eis in mehrere große Schollen zerborsten war. Auf einer von ihnen, mitten im Fluss, stand der Schlitten.

»Der Schlitten!«, rief Cecilie.

Mehr brauchte sie nicht zu sagen, schon stürmte Ariel davon. Cecilie glaubte, er werde über den Fluss fliegen, um dann von oben auf den Schlitten herabzustoßen und ihn hochzureißen. Aber als er das Ufer erreicht hatte, ging er einfach weiter über die Eisschollen. An einigen Stellen ging er sogar übers Wasser.

Dann kam er mit dem Schlitten auf sie zu. Cecilie begriff es nicht ganz. Es sah fast so aus, wie wenn zu Weihnachten die Rentiere den Schlitten des Weihnachtsmanns durch die Luft ziehen.

»Spitze!«, rief sie.

Dann packte sie die Schlittenschnur und sagte:

»Jetzt besuchen wir Marianne!«

Sie liefen die Böschung zum gelben Haus hoch. Cecilie war seit vielen Monaten nicht mehr dort gewesen. Vor Weihnachten war Marianne mehrmals zu Besuch gekommen, aber das war nun schon viele Wochen her.

Bald standen sie vor Mariannes Haus. Cecilie griff nach der Türklinke. Die Tür war abgeschlossen.

»Hier kommen wir nicht rein«, sagte Ariel. »Ich könnte ja immer noch durch die Tür gehen, aber ich glaube nicht, dass wir das gemeinsam versuchen sollten.«

Cecilie lächelte schlau. Sie ging zur Scheune hinüber und winkte Ariel hinter sich her.

»Ich weiß, wo der Schlüssel liegt«, sagte sie stolz.

Sie fand ihn sofort unter einer leeren Farbdose. Zeitweise war sie genauso oft bei Marianne gewesen wie zu Hause in Skotbu.

Sie schloss die Haustür auf und sie schlichen hinein. Um Mariannes Zimmer zu erreichen, mussten sie durchs Wohnzimmer. Cecilie knipste eine Lampe an der Wand an. Ariel zockelte wie ein kleiner Bruder hinter ihr her.

Vorsichtig fasste Cecilie die Klinke an und öffnete die Tür. Marianne schlief, ihre langen roten Haare waren über ihr Kissen gebreitet.

Cecilie hatte sich die ganze Zeit frei und glücklich gefühlt wie ein Vogel, aber als sie Marianne sah, kam ihr eine Träne. Vielleicht, weil Marianne schlief oder weil sie sich so lange nicht mehr gesehen hatten.

»Weinst du?«, flüsterte Ariel.

»Ja, jetzt weine ich ...«

Marianne drehte sich im Bett um. Es schien, als könnte sie jeden Moment wach werden.

Ariel zupfte Cecilie am Anorak.

»Du musst dich jetzt von ihr verabschieden.«

Cecilie öffnete ihre Jackentasche und zog den kleinen

Schmetterling heraus. Sie bückte sich vorsichtig und legte ihn sorgfältig vor Mariannes Bett auf den Boden.

»Warum hast du das gemacht?«, fragte Ariel. »Marianne hat ihn dir doch geschenkt.«

Cecilie zuckte mit den Schultern.

»Ach, ich kann ja doch nichts damit anfangen.«

Im nächsten Moment setzte sich Marianne im Bett auf, aber Cecilie und Ariel liefen schon durchs Wohnzimmer. Sie schlossen die Haustür hinter sich ab und Cecilie brachte den Schlüssel in die Scheune zurück. Dann setzten sie sich auf den Schlitten und rodelten die Böschung zum Fluss hinunter.

Als der Schlitten zum Stillstand gekommen war, sprang Ariel hoch und schwebte wie eine schwerelose Puppe um Cecilie herum. Sie kam sich auch selbst etwas schwerelos vor. Sie saß auf dem Schlitten und starrte zum Sternenhimmel hinauf.

»Das ist die Ewigkeit«, seufzte sie.

»Oder der Himmel«, sagte der Engel Ariel. »Oder der Himmelsraum.«

»Oder das Universum«, sagte Cecilie.

»Oder der Kosmos«, sagte Ariel und plötzlich waren sie beide kurz davor loszuprusten.

»Oder der Weltraum!«

»Oder das Weltall!«

»Oder die Wirklichkeit!«

»Oder einfach die Welt!«

»Oder das große Rätsel!«, rief Cecilie ganz zum Schluss.

Ariel nickte feierlich.

»Ein Waisenkind hat viele Namen.«

»Ein Waisenkind?«

Wieder nickte er.

»Nicht die geliebten Kinder haben viele Namen. Sondern die Findelkinder. Die, die auf einer Treppe gefunden werden. Die, bei denen niemand so recht weiß, woher sie kommen. Die, die im leeren Raum schweben.«

»Das ist die Ewigkeit«, wiederholte Cecilie.

Der Engel Ariel ließ sich neben ihr auf den Schlitten sinken. Dann sagte er:

»Und mitten in der Nacht sieht man das am allerdeutlichsten.«

Cecilie drehte sich zu ihm um und wiederholte etwas, was sie schon einmal gesagt hatte. Diesmal betonte sie dabei jede einzelne Silbe.

»Ich bin nur dieses eine Mal hier. Und ich komme nie mehr zurück.«

Aber der Engel Ariel schüttelte den Kopf. Er sagte:

»Du bist jetzt in der Ewigkeit. Und die kommt in alle Ewigkeit zurück.«

Sie gingen zum Fluss hinunter und sahen, dass langsam große Eisschollen durch das Tal geschoben wurden. Der Fluss, der den ganzen Winter über so still und friedlich dagelegen hatte, hörte sich plötzlich richtig wütend an. Sie gingen am Ufer entlang zur Brücke und über die Brücke ans andere Ufer.

Mitten auf der Brücke zeigte Ariel ins Wasser und fragte:

»Wie heißt der Fluss eigentlich genau?«

»›Wie heißt der Fluss eigentlich genau?‹«, wiederholte sie. »Das habe ich dir doch schon erzählt. Er heißt Leira.«

Er nickte.

»Ein schöner Name. Sehr irdisch, denn Leira bedeutet Lehm. Aber in einem himmlischen Spiegel wird auch das Allerirdischste zu etwas Himmlischem.«

»Ich kapiere überhaupt nichts mehr.«

»Leira ...«, wiederholte Ariel.

Er lächelte geheimnisvoll.

»Du siehst alles durch einen Spiegel, in einem dunklen Wort.«

Sie zuckte mit den Schultern. Ariel fragte:

»Kannst du ›Leira‹ spiegelverkehrt lesen?«

Es dauerte einen Moment.

»Ariel!«, rief Cecilie. »Es heißt Ariel!«

Er nickte stolz. »Ich habe mich in diesem Tal hier schon immer wohl gefühlt.«

Cecilie war tief beeindruckt.

Mehrmals auf dem Weg nach Skotbu legte sie den Kopf in den Nacken und spähte ins Universum hinaus.

Plötzlich entdeckten sie eine Sternschnuppe. Ariel schlug sich die Hand vor den Mund und sagte:

»Da fällt ein Stern.«

»›Da fällt ein Stern‹«, wiederholte Cecilie.

Sie musste wieder an den alten Christbaumstern denken, der plötzlich verschwunden gewesen war. Hatte Ariel nicht behauptet zu wissen, wo er steckte?

Als sie den Schlitten das letzte Stück zur roten Scheune von Skotbu hochzog, wandte sie sich zu ihm um und fragte:

»Weißt du noch, wie ich von dem alten Weihnachtsstern erzählt habe, der plötzlich auf unerklärliche Weise verschwunden war?«

Ariel machte ein unergründliches Gesicht.

»Es ist nicht sicher, ob es wirklich so unerklärlich ist.«

»Genau!«, sagte Cecilie. »Du weißt es nämlich, wo er steckt.«

Sie spürte, wie sie eine Gänsehaut bekam. Wieso fand Ariel das nicht so unerklärlich? Wenn er die ganze Zeit gewusst hatte, wo der Stern war, warum hatte er ihr das nicht schon längst erzählt?

Sie hatten jetzt den Hof erreicht.

»Komm her«, sagte der Engel Ariel und zeigte hinter die Scheune.

An der Scheunenwand ragten Zweige eines verwelkten Baums empor. Fast alle Nadeln waren abgefallen. Die wenigen, die noch übrig waren, hatten sich hellbraun verfärbt. Es war deutlich, dass der Baum den ganzen Winter über vom Schnee bedeckt gewesen war. Jetzt hatte die Schneeschmelze eingesetzt und der Baum war wieder zum Vorschein gekommen.

»Das ist ja der Weihnachtsbaum vom letzten Jahr!«, rief Cecilie.

Ihr fiel ein, dass sie ihn vor etwas mehr als einem Jahr zusammen mit ihrem Vater dort abgelegt hatte.

Ariel befreite den ganzen Weihnachtsbaum vom Schnee. Jetzt sah Cecilie den alten Weihnachtsstern. Er steckte immer noch oben am Baum. Dass sie nicht auf die Idee gekommen war! Dass niemand daran gedacht hatte, dass sie einfach vergessen hatten den Stern bei der Baumplünderung von der Spitze zu nehmen!

Der verwelkte Baum sah traurig und trostlos aus. Er erinnerte Cecilie an den schwarzen Lavastrand auf der Insel Santorini. Nur der Stern war unverändert. Dem hatte der Winter nichts antun können. Er war ganz unversehrt.

Der Engel Ariel bückte sich und tippte den Stern mit einem Finger an. Er leuchtete auf wie elektrisiert.

Cecilie war hingerissen.

»Wie schön!«

Als Ariel den Finger zurückzog, erlosch der Stern wieder.

»Mach das noch mal!«, bat sie.

Er tat es. Ariel brauchte den alten Weihnachtsstern nur anzutippen, schon leuchtete er zu Cecilie und Ariel, der Scheunenwand und den Schneewehen hoch.

Ariel winkte ihr. Sie wusste, dass sie ins Haus und ins Schlafzimmer mussten, ehe irgendwer drinnen erwachte.

Auch in dieser Nacht half er ihr ins Bett. Er lehnte den Schlitten genau an der Stelle an die Wand, wo er gestanden hatte. Dann pustete er Schnee und Matsch aus dem Zimmer. Cecilie schlief ein, sobald sie im Bett lag.

Als sie aufwachte, saßen ihr Vater und ihre Großmutter am Bett.

»Nacht?«, fragte sie.

Papa nickte. Er nahm ihre Hände und Großmutter feuchtete ihr die Lippen an.

»Ich weiß, was aus dem alten Weihnachtsstern geworden ist«, flüsterte Cecilie.

Großmutter und der Vater tauschten einen Blick.

»Aus dem Weihnachtsstern?«, fragte ihr Vater.

Cecilie nickte.

»Er liegt hinter der Scheune. Wir haben ihn bei der Christbaumplünderung vergessen.«

Ehe Cecilie wieder einschlief, blickte sie zu Großmutter hoch und sagte so deutlich sie konnte einige Worte. Sie sagte sie auf wie ein Gedicht, das sie irgendwann einmal auswendig gelernt hatte.

»Nicht die geliebten Kinder haben viele Namen. Sondern die Findelkinder. Die, die auf einer Treppe gefunden werden. Die, bei denen niemand so recht weiß, woher sie kommen. Die, die im leeren Raum schweben.«

Cecilie fuhr aus dem Schlaf und riss die Augen auf. Sie drehte sich zu ihrem Vater um, der auf dem Stuhl vor dem Bett saß. Er hielt den alten Christbaumstern in der Hand.

Sie wusste nicht recht, warum, aber es machte sie unendlich froh, dass die anderen ihr geglaubt hatten. Sie waren wirklich hinter die Scheune gegangen und hatten den Stern an der Stelle gefunden, wo Cecilie ihn nachts zusammen mit dem Engel Ariel entdeckt hatte.

»Ihr habt ihn da gefunden, wo ich gesagt habe«, murmelte sie. Es war nicht leicht, die Worte über die Lippen zu bringen.

Ihr Vater legte den Stern auf die Bettdecke.

»Woher hast du gewusst, dass er noch am Baum saß?«, flüsterte er.

Sie versuchte ein Lächeln.

»Ein Engel Gottes hat es mir erzählt.«

»Wir haben ihn jedenfalls genau an der Stelle gefunden, wo du gesagt hast.«

»Aber ihr könnt ihn nicht zum Leuchten bringen. Das schafft nur Gott.«

Jetzt standen auch ihre Mutter und Großmutter im Zimmer. Und dann kam auch noch Großvater hinzu. Sie hatten bestimmt alle draußen auf dem Flur gestanden, nun kamen sie herbei, als sie hörten, wie Cecilie von dem Engel erzählte, der ihr geholfen hatte.

Sie blickte zu ihnen hoch. Heute fühlte sie sich so klar im Kopf wie lange nicht mehr. Wenn sie nur nicht so schlapp wäre ...

Vor dem Bett standen zwei Stühle. Ihre Mutter setzte sich auf den freien Stuhl, die Großeltern standen hinter ihr und sahen Cecilie an. Nur Großmutter lächelte.

»Soll Lasse kommen?«, fragte Cecilies Mutter.

Sie nickte. Großmutter ging Lasse holen. Sie musste ihn vor sich herschieben, so verlegen war er.

»Hallo«, sagte er.

»Hallo, Lasse.«

Sie blickte auf.

»Und wie geht's mit den Jetskiern?«

»Gut ...«

Als alle schwiegen, versuchte Cecilie etwas Lustiges zu sagen.

»Aber du musst endlich dein Zimmer aufräumen, du Schussel!«

Alles lächelte, obwohl es ja eigentlich gar nicht lustig gewesen war. Nur Cecilie konnte doch wissen, dass sie nachts in seinem Zimmer gewesen war.

»Jetzt schmilzt das Eis auf dem Fluss«, sagte sie.

Die anderen nickten und dann schwiegen alle für lange Zeit.

Die letzten Worte schienen in ihren Ohren widerzuhallen: »Jetzt schmilzt das Eis auf dem Fluss. Jetzt schmilzt das Eis.«

»Dass wir den alten Weihnachtsstern wieder gefunden haben!«, sagte Großmutter. »Wir waren alle zusammen hinter der Scheune.«

Das war ja toll! Alle zusammen waren hinter die Scheune gegangen. Sie hatten genau wie Cecilie und Ariel im Schnee herumgewühlt.

»Aber den Fieberschmetterling findet ihr nicht«, sagte sie stolz. »Der ist nämlich weggeflogen.«

Die Mutter stand auf und ging zum Bücherregal. Ob sie den Schmetterling suchen wollte?

Großmutter hielt sie zurück.

»Tone!«, sagte sie und gab ihr ein Zeichen, sich wieder zu setzen.

Wieder sagte lange Zeit niemand etwas.

Cecilie fand es seltsam, dass sie so glasklar im Kopf war und trotzdem nur schlafen wollte.

»Ich glaube, ich schlafe wieder ein«, flüsterte sie. »Also, macht's erst mal wieder gut ...«

Als sie bald darauf erwachte, stand das Fenster offen, niemand saß auf den Stühlen vor ihrem Bett.

Bald kam der Engel Ariel durch das offene Fenster geschwebt. Er setzte sich auf den Schreibtisch. Cecilie stieg aus dem Bett und stellte sich ihm gegenüber.

»Na, bist du auch mal wieder da«, sagte sie.

Er antwortete nicht direkt darauf.

»Magst du eine Runde mit mir fliegen?«

Sie lachte.

»Aber ich kann doch nicht fliegen.«

Der Engel Ariel seufzte nachsichtig.

»Hör endlich auf mit dem Unsinn. Komm einfach her.«

Und Cecilie trat auf den Engel Ariel zu.

Er nahm ihre Hand. Im nächsten Moment schwebten sie durch das offene Fenster, über die Scheune und über die weite Landschaft. Es war noch früh am Morgen, die Sonne war noch nicht aufgestanden zu einem neuen Wintertag.

»Herrlich!«, sagte Cecilie. »Einfach engelhaft!«

Fliegen war noch wunderbarer, als sie es sich vorgestellt hatte. Sie spürte ein Kitzeln im Magen, als sie auf die spitzen Kiefernwipfel hinunterblickte. Wenn sie den Kopf hob, konnte sie meilenweit in alle Richtungen blicken. Sie zeigte auf Gardermoen, Heksebergåsen, Hurdalssjø und Mjøsa hinunter. In der Ferne konnte sie den Oslofjord sehen und weit dahinter das Meer noch erkennen.

Sie kreisten eine Weile über dem Ravnekollen. Von hier oben sah er aus wie ein kleiner Zuckerhut.

»Jetzt sind wir genau wie Odins Raben«, sagte sie.

»Genau«, antwortete der Engel Ariel. »Und wenn wir uns auf Gottes rechte Hand setzen, werden wir ihm alles erzählen, was wir gesehen haben.«

Etwas später flogen sie zum offenen Fenster zurück und setzten sich auf die Fensterbank, wo Ariel bei seinem ersten Besuch gesessen hatte.

Beide blickten auf Cecilies Bett. Sie fand es seltsam, dass sie sich selbst dort liegen sehen konnte. Ihre blonden Haare waren über das Kissen gebreitet und auf die Bettdecke hatten sie den alten Weihnachtsstern gelegt.

»Ich finde mich auch schön, wenn ich schlafe«, sagte sie.

Ariel hielt ihre eine Hand. Er blickte zu ihr hoch und sagte:

»So, wie du hier sitzt, bist du noch schöner.«

»Aber das kann ich nicht sehen, jetzt bin ich doch auf der anderen Seite des Spiegels.«

Erst, als sie das gesagt hatte, ließ Ariel ihre Hand los.

»Du siehst aus wie ein prächtig gekleideter Schmetterling, der von Gottes Hand losgeflogen ist«, sagte er.

Sie sah sich im Zimmer um. Ein dünner Streifen Morgensonne zog sich über Schreibtisch und Boden. Unter Cecilies Bett hatten einige Strahlen den Weg zu dem chinesischen Notizbuch gefunden. Sie sah, wie die vielen Seidenfäden glitzerten und funkelten.

Wir sehen jetzt durch einen Spiegel,
in einem dunklen Wort;
dann aber von Angesicht zu Angesicht.
Jetzt erkenne ich stückweise;
dann aber werde ich erkennen,
gleichwie ich erkannt bin.

Erster Brief des Paulus an die Korinther,
13. Kapitel, Vers 12